1조 리더십 강의

리더는 누구나 되지만 방탄 리더는 아무나 될 수 없다!

방탄 리더십 신조

들어라 하지 말고 듣게 하자.
누구처럼 살지 말고 나답게 살자.
좋아하게 하지 말고 좋아지게 하자.
마음을 얻으려 하지 말고 마음을 열게 하자.
믿으라 말하지 말고 믿을 수 있는 사람이 되자.
좋은 사람을 기다리지 말고 좋은 사람이 되어주자.
보여주는(인기) 인생을 사는 것이 아닌
보여지는(인정) 인생을 살아가자.
나 이런 사람이야 말하지 않아도 이런 사람이구나.
몸, 머리, 마음으로 느끼게 하자.

-최보규 리더십 일타강사-

1조 리더십 강의

리더는 누구나 되지만
방탄 리더는 아무나 될 수 없다!

머리말

머리말

3고(고물가, 고금리, 고환율) 시대, 포노 사피엔스 시대, 4차 산업 시대, AI시대, 챗GPT 시대... 빠르게 변하는 현실 속에서 점점 더 힘들어지는 상황을 극복하고 차별화 리더십이 아닌 초월 리더십으로 업데이트하기 위한 방탄리더십 5단계 시스템!

1단계

노벨상 수상자 리더십, 성공한 리더의 리더십은 다 잊어라! 4차 산업 시대는 4차 리더십인 방탄 리더십 업데이트를 통해 천재지변 리더가 아닌 천재일우 리더

2단계

스트레스 관리, 마인드컨트롤이 잘 되는 리더 자존감, 멘탈 배터리 고속 충전하는 방법

3단계

삼성(진정성, 전문성, 신뢰성)을 높이는 습관을 통해 리더 행복 초고속 충전하는 방법

4단계

리더 자기계발, 동기부여책 200권, 영상 300개, 교육을 들어도 리더 자기계발, 동기부여가 안 되는 이유

5단계

퇴사를 막고 인재가 오래 머물게 하는 방탄 리더 품위 유지의무 10계명

6

리더는 누구나 하지만 방탄 리더는 아무나 못한다.
방탄 리더 1명이 10만 명을 변화시키고 먹여 살린다.
누구나 방탄 리더가 될 수 있었다면 난 절대로 방탄 리더를 선택하지 않았을 것이다.

어떤 강의에서도 말하지 못한 리더십!
어떤 강사도 말하지 못한 리더십!
어떤 책에도 없는 리더십!
어떤 영상에서도 볼 수 없는 내용의 리더십!

1조 리더십 강의

리더는 누구나 되지만
방탄 리더는 아무나 될 수 없다!

목차

목차

10

세상에
리더십이 없는 사람은 없다.
다만
리드하는 방법을 모를 뿐이다.

− 최보규 방탄리더십 일타강사 −

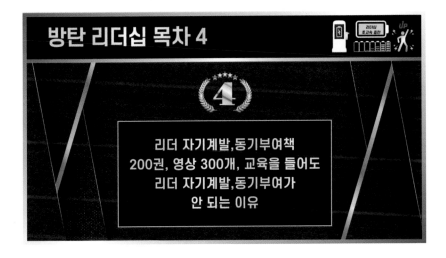

출처 <생로병사의 비밀>

▶ 영상 전체 내용!

500달러짜리 오십견 낫는 동작

사람에게는 143개의 관절이 존재합니다. 이 많은 관절을 움직여서 우리는 인간다운 삶 보다 높은 삶의 질을 추구하게 되죠. 그중에서도 360도 전후 좌우 자유자재로 움직일 수 있는 것은 이 어깨 관절이 유일합니다.

하지만 이 어깨 관절은 우리에게 자유를 주는 만큼 고통과 불편을 줄 가능성이 동시에 있습니다. 만약 여러분이 오십견을 예방하고 또 치료하고 싶으시다면 이 스트레칭 운동이 도움이 될 것입니다.

먼저 두 손을 뒷목으로 모아서 대주고 가슴을 쭉 내밀
어줍니다.
하나, 둘, 셋, 넷, 다섯, 여섯, 일곱, 여덟, 아홉, 열

이번에는 위로 손을 들어서 쭉 펴줍니다. 이것도 열 정
도 해고해주세요.
하나, 둘, 셋, 넷, 다섯, 여섯, 일곱, 여덟, 아홉, 열

이번에는 한 팔을 왼쪽으로 보내고 반대편 팔로 직각을
만들어서 펴줍니다.
그리고 반대쪽 방향으로 얼굴을 돌려서 쭉 늘려줍니다.
하나, 둘, 셋, 넷, 다섯, 여섯, 일곱, 여덟, 아홉, 열

외국의 병원에서는 이러한 동작을 가르쳐주고 500달러
에서 1천 달러 정도를 받는다고 합니다. 여러분들도 집
에서 한번 실천해 보시기 바랍니다.
<유튜브 KBS 생로병사의 비밀>

-상담 스토리
자기계발 책 200권 이상을 보고 유튜브 동기부여, 자기계발
영상 300개 이상 봤습니다. 유료 자기계발 교육, 영상들도
많이 봤습니다. 느낀 만큼 실천 동기부여가 안 돼서 시간, 돈
낭비한 거 같고 언제까지 해야 하는지 답답하기만 하고 후회
스럽습니다. 어떻게 하면 0.1%라도 느낀 만큼 행동을 할 수
있는지요?

④ 리더 자기계발,동기부여책 200권, 영상 300개, 교육을
들어도 리더 자기계발,동기부여가 안 되는 이유?

-상담 스토리
자기계발 책 200권 이상을 보고 유튜브 동기부여, 자기계발
영상 300개 이상 봤습니다. 유료 자기계발 교육, 영상들도
많이 봤습니다. 느낀 만큼 실천 동기부여가 안 돼서 시간, 돈
낭비한 거 같고 언제까지 해야 하는지 답답하기만 하고 후회
스럽습니다. 어떻게 하면 0.1%라도 느낀 만큼 행동을 할 수
있는지요?

- 정리 -

자기계발, 동기부여
책, 영상, 교육을 들어도 그때뿐이다.
하나라도 실천이 안된다.

어떻게 하면 0.1%라도 느낀 만큼
행동을 할 수 있을까?

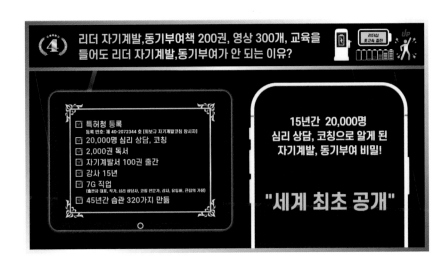

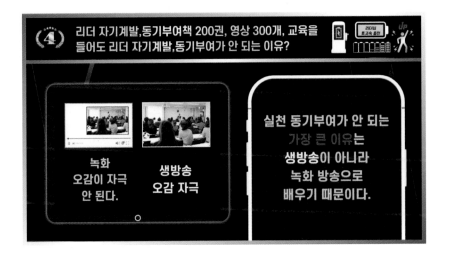

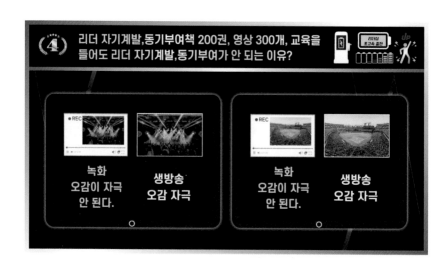

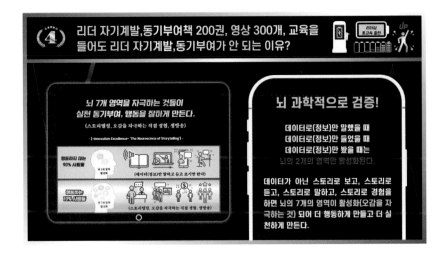

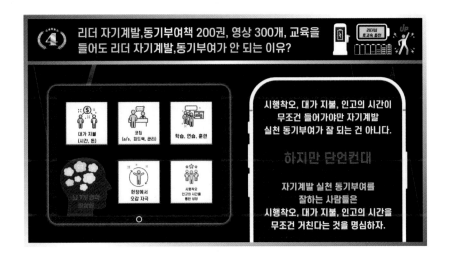

▶ 스토리텔링 전체 내용!

- 상담스토리

최보규 방탄 리더 자기계발 전문가님! 저는 자기계발 책 200권 이상을 보고 유튜브 동기부여, 자기계발 영상 300개 이상 봤습니다. 시중에 있는 유료 자기계발 교육, 영상들도 많이 봤습니다. 볼 때만 느끼고 느낀만큼 실천 동기부여가 안 돼서 시간, 돈 낭비한 거 같고 언제까지 해야 하는지 답답하기만 하고 후회스럽습니다. 왜 나아짐이 없는지 이유를 알고 싶고 어떻게 하면 느낀만큼 0.1% 하나라도 실천할 수 있는 방법은 없는지요?
어떻게 하면 느낀만큼 행동으로 옮길 수 있을까요?

20,000명 심리 상담, 코칭 하면서 알게 된 것은 대부분 사람들이 늘 그때 뿐이고 실천 동기부여가 안 돼서 돈과 시간을 낭비하고 있는 게 현실이다.

10개를 느꼈다면 하나라도 실천해야 하는데 왜? 왜? 왜? 실천 동기부여가 안 될까? 어떻게 하면 자기계발 실천을 잘 할 수 있을까? 필자도 리더 자기계발 전문가가 되기 전까지는 늘 그때뿐인 자기계발을 했었다.

"어떻게 하면 할 수 있을까?" 라는 태도로 45년간 리더 자기계발 습관 320가지! 20,000명 심리 상담, 코칭! 리더 자기계발책 2,000권 독서! 자기계발 책 100권 출간으로 알게 된 리더 자기계발, 동기부여 비밀를 세계 최초 오픈한다.

상담 스토리에서 자기계발 책 200권, 유튜브 자기계발, 동기부여 영상 300개 이상, 시중에 있는 유료 자기계발 교육 영상도 많이 봤는데도 실천 동기부여가 안 된다고 했다.

단언컨대 실천 동기부여가 안 되는 가장 큰 이유는 녹화 방송으로 배우기 때문이다. 녹화 방송? 사람의 심리, 본능은 직접 만나서 오감을 느낄 수 있는 생방송일 때 세상에서 가장 강력한 자기계발, 동기부여가 되어 행동으로 나오는 것이다. 과학적으로 검증된 데이터로 말하겠다.

기본적인 사람의 심리는 데이터로(정보)만 말했을 때, 데이터로(정보)만 들었을 때, 데이터로(정보)만 봤을 때는 뇌의 2개의 영역만 활성화된다.
데이터가 아닌 스토리로 보고, 스토리로 듣고, 스토리로 말하고, 스토리로 경험을 하면 뇌의 7개의 영역이 활성화 되어 더 행동하게 만들고 더 실천하게 만든다.

뇌의 7개 영역이 활성화된다는 말은 한마디도 오감을 자극하는 것이다. 오감을 자극하는 것일수록 스스로 "움직여야겠다. 실천해야겠다."라는 동기부여를 강력하게 만든다.
평균적으로 사람들이 실천 동기부여가 약한 또 다른 이유는 아무런 시행착오, 대가 지불, 인고의 시간 없이 쉽게 느끼는 것들이기 때문에 실천과 행동이 나오지 않는 건 당연하다.

시행착오, 대가 지불, 인고의 시간이 들어가야 뇌의 7개 영역을 자극하고 오감을 느끼게 하여 실천 동기부여가 잘 되는 것이다.

시행착오, 대가 지불, 인고의 시간이 없는 동기부여가 뭘까? 피부로 확! 와 닿게! 해주겠다.

자기계발을 못 하는 사람들, 동기부여를 못 하는 사람들 90% 특징 중 하나는 집에 가만히 앉아서 최대한 편한 자세로, 최대한 편한 츄리닝으로 갈아입은 상태에서, 맥주 한잔 먹으면서, 차 마시면서 아무런 긴장감이 없는 상황 속에서 영상을 보기 때문에 실천 동기부여가 안 되서 행동으로 옮기지 못하는 것이다. 실천 동기부여가 안 되는 방법을 하고 있으니 행동으로 옮기지 못하는 게 당연하다.

"아~ 실천해야 하니까 지금 필사하자. 지금 메모해 놔야겠다!" 이런 사람 몇 명이나 될까? "영상, 글, 메시지, 이미지 감동받았어! 너무 좋다! 이거 저장해 두어야겠다!" 이런 사람 몇 명이나 될까?

순간 감동받았어, 느낌 좋았어! 땡 끝? 1초 느끼고 다 쓰레기가 되어버린다.

실천, 행동이 안 나오는 습관을 하고 있는데 자기계발 책 몇 천권, 자기계발 영상을 몇만 개를 보더라도 실천, 행동이 나오지 않는 게 당연하다.

자기계발, 동기부여 실천, 행동이 나올 수 있는 습관을 만들어야 한다. 자기계발, 동기부여 할 수밖에 없는 환경을 만들어야 한다.

자기계발, 동기부여 실천, 행동할 수 있는 환경이 되더라도 실천이 될까 말까인데 전혀 긴장감 없는 방구석에서 핸드폰만 클릭! 클릭! 클릭! 영상, 이미지, 메시지, 책만 보는데 행동이 나오겠는가?

책 한 권 가격은 평균적으로 15,000원이다. 유튜브 자기계발 영상, SNS 자기계발, 동기부여 영상들은 스마트폰 데이터만 어느 정도 소요되지 돈이 엄청나게 투자되는 게 아니다. 이런 것은 대가 지불이 아니다.

시행착오, 대가 지불, 인고의 시간이 무조건 들어가야만 자기계발 실천 동기부여가 잘 되는 건 아니다.
하지만 단언컨대 자기계발 실천 동기부여를 잘하는 사람들은 시행착오, 대가 지불, 인고의 시간을 무조건 거친다는 것을 명심하자.

앞에서 말했던 것을 간단히 정리하면 자기계발 실천 동기부여를 잘하려면 녹화 방송이 아닌 뇌 7개 영역을 활성화 시키는 오감을 자극 시키는 검증된 자기계발 선문가를 직접 만나서 학습, 연습, 훈련을 해야지만 실천 동기부여가 잘 된다. 오감을 더 자극 시키는 게 1:1코칭이다.

그래서 자기계발 실천 동기부여를 잘하려고 하는 리더들은 1:1코칭을 받기 위해서 교육에 투자하는 비용을 아끼지 않는다. 이 세상에서 손해 보지 않는 최고의 투자는 자신의 자기계발에 투자하는 것이다. 100%, 1,000%, 10,000% 수익률이 발생한다.

《리더 습관 PT 5》

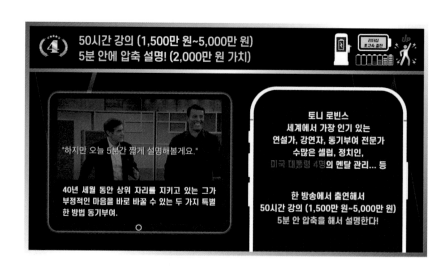

▶ 영상 내용!

미국 대통령 4명의 스피치 멘탈 관리법!

여기 있는 토니 로빈스의 세미나는 전 세계에서 가장 인기 있는 세미나죠. "50시간짜리 강의에요." "하지만 오늘 5분간 짧게 설명해볼게요." 그리고 토니가 여러분을 인생을 새롭게 바꿀 겁니다. 제가 오늘 부탁하는 건 50시간의 강의의 지혜를 5분에 줄여서 해주세요.

토니 로빈슨은 세계에서 가장 유명한 연설가입니다. 많은 유명인들의 멘토링과 지금까지 네 명의 미국 대통령이 멘토링도 했었죠. <life mastery institute>이라는 그의 세미나 가격은 1,500만 원 ~ 5,000만 원이며 세미나 참식 전 참가자 심사까지 한다고 하는데요. 그의 세미나 중 '부정적인 생각을 2분 만에 떨쳐내는 방법' 대해 설명합니다. 집중하세요.

2분 동안 여러분께 간단한 컨셉에 대해서 먼저 설명해 줄게요. 모두는 목표를 가지고 있죠. 여러분들이 노력하는 무언가요. 그 새로운 결과를 얻으려면 당연히 새로운 행동을 해야 합니다. 모두 아는 사실이죠. 행동이 같은데 새로운 결과는 안 나타나니까요. 같은 결과만 나오겠죠. 인간이 할 수 있는 것들은 정말 대단한데도 대부분의 사람은 형편없는 행동만 해요. 능력이 부족한 게 아니라 새로운 행동을 안 하기 때문이에요. 그 이유는 우리의 감정상태 때문입니다. 감정에 지배당하는 거죠.

조바심이 나고 실패한 것 같은 감정들요. 하지만 당신이 두려움의 감정을 느낄 때 두려움은 행동에 보여지고 결과로 나타납니다. 그래서 인생을 바꾸는 가장 중요한 방법은 결과를 바꾸는 것인데 결과를 바꾸려면 행동을 바꾸어야 하고 행동을 바꾸려면 감정 상태를 바꿔야 합니다.

자 그럼 어떻게 바꿀까요? 이미 감정에 사로잡히거나 압도당한 상태에서요.

'제가 세계 최고 운동선수들 4명의 미국 대통령에게도 가르친 방법이에요. 억만장자 고객들도 배웠습니다.'

감정 상태를 바꾸는 것은 생각만으로 되는 게 아니에요. 나는 행복하다를 반복한다고 되는 게 아니에요. 당신의 뇌가 거짓인 걸 이미 알고 있으니까요. 그렇기에 우리가 해야 하는 것은 근본적인 변화입니다. 몸을 이용해 생리학적으로 접근할게요. 어려워 보이지만 그냥 몸을 이용한다는 거예요. 움직이는 템포를 바꿔요. 어깨를 당당히 펴고 숨을 더 고르게 쉬세요. 움직임을 생동감 있게 하고 말도 좀 빠르게 한다면 이 행동들이 당신 몸 안에서 화학작용을 만들어냅니다. 그리고 새로운 감정 상태에 접어들어 완전히 다른 행동을 이끌어내게 됩니다. 저는 40년 넘게 이걸 가르쳤어요. 그리고 3년 전에 하버드에서 과학적으로도 입증이 되었죠. 그리고 '파워 포지션'이라고 이름 지었죠. 정말 간단합니다. 양손을 허리에 올리세요. 원더우먼이나 슈퍼맨처럼요. 이렇게 선 상태에서 숨을 깊게 쉬세요. 단 2분 동안 만요. 이 행동의 과학적 결과는 당신은 2분 안에 무조건 테스토스테론(자신감 호르몬)이 20% 증가하고 남녀 모두 포함입니다. 그리고 당신의 몸안의 스트레스 호르몬인 코르티솔은 22% 감소합니다. 그리고 두려움에 사로잡혀서 하려고 하지 않던 새로운 행동을 할 가능성이 33% 증가합니다. 만약 당신이 앉아있다면 머리에 깍지를 끼고 다리를 올려놓는 행동도 같은 효과를 일으켜요. 이 행동들이 당신에게 확신과 자신감을 주기 때문입니다. 그리고 그 자신감이 새로운 행동을 하게 하는 거죠.

앞서 보신 방법은 조던 피터슨의 책 《인생의 12가지 법칙》에서도 첫 번째 챕터로 나오는 부분입니다. '어깨를 펴고 똑바로 서라.' 자신감 있는 자세가 끼치는 영향은 인간뿐 아니라 동물들에게도 같은 결과를 불러옵니다. 두 번째 방법은 마인드에 관한 방법입니다.

당신이 언제라도 당신이 가장 힘들다고 생각할 때 부모님이 아프시거나 사업이 안 되고 연인관계 문제 혹은 불안하고 초초할 때 당신은 두려움의 감정 상태에 들어가게 됩니다.

나쁜 행동을 만들고 엉망인 결과를 불러오죠. 그 결과를 뇌는 이렇게 받아들이죠. "내가 말했지. 너는 못한다고." 그렇게 부정적인 늪에 빠지는 거죠. 이 상태를 벗어나는 방법은 자신에게 새로운 질문을 하는 겁니다. 제 질문을 곰곰이 생각해보세요. 무엇이 인생에서 가장 자랑스럽나요? 당신이 느끼는 가장 자랑스러운 것에 집중해보세요.

여러분의 아이들 가족 혹은 성취한 것들 말이죠. 가짜 아닌 진심에서 우러나오는 자랑스러움이요. 누구라도 하나쯤은 있잖아요. 자 그럼 이제 눈을 감고 그 기분에 집중하세요. 당신이 자랑스러운 그 느낌을요. 그리고 그때의 기분을 다시 느껴보세요. 그때처럼 숨을 쉬어보세요. 여유 있게! 그리고 마치 기분 좋은 아이처럼 기쁜 감정을 숨기지 말고 웃음 짓는 거예요. 자 이번엔 당신이 감사한 것에 대해 집중해보세요. 혹은 당신의 가슴을 뛰게 하는 일을요. 사람 혹은 특정 순간들 아니면 원하는 것을 말이죠. 그 감정에 집중해보세요. 눈을 감고 그 감정에 집중하는 거예요. 가슴 뛰게 하는 것에 말이죠.

그리고 그게 일어난 것처럼 느껴보세요. 건강이 되찾아지고 사업이 번창하고 연인관계 회복, 두려움을 극복하는 것을요. 그렇게 인생을 온전히 바뀜을 느끼고 그 느낌대로 숨을 뱉어보세요. 그리고 그 기분을 소리쳐보세요. "오 예! 와우! 오오오오오! 해보자! 해보자! 파이팅! 좋았어!" 이 방법으로 감정 상태를 바꾸세요. 좋은 것에 집중하고 움직임을 바꾸는 거죠. 제 마지막 질문입니다. 여러분이 원하는 것에 집중한다면 보장된 건 아니지만 엄청난 가능성이 존재해요. 그러니 가능성을 늘려가세요. 감정 상태를 바꾸면서요. 그게 제 세미나의 핵심이에요. "몸과 마인드를 바꿔 가는 방법이었습니다."

밤하늘에 뜬 별들이 더 멋지고 소중한 이유는 별들을 감싸고 있는 어둠 때문이라는 말이 있습니다. 마찬가지로 필연적으로 느끼게 되는 부정적인 생각들과 상황들이 각자의 꿈을 더 빛나게 해주는 어둠 같은 존재 같습니다. 이 방법들이 여러분의 인생에 어둠이 찾아왔을 때 마음가짐을 바꿀 수 있는데 사용되기를 바랍니다.

<유튜브 터닝포인트 - 위대한 성공의 시작점>

④ 50시간 강의 (1,500만 원~5,000만 원)
5분 안에 압축 설명! (2,000만 원 가치)

"하지만 오늘 5분간 짧게 설명해볼게요."

40년 세월 동안 상위 자리를 지키고 있는 그가 부정적인 마음을 바로 바꿀 수 있는 두 가지 특별한 방법 동기부여.

- 요약 정리 -

1. 행동으로 감정 상태를 바꾼다.
파워포즈 자세 2분 (과학적 근거)
자신감 호르몬(테스토스테론)20% 증가
스트레스 호르몬(코르티솔) 22% 감소
행동 유발 33% 증가

2. 자랑스러운 것, 감사한 것
그때 감정 느껴본다. 원하는 것에 집중!

여기서 잠깐! 1,000명 이면 1,000명이 속으로 생각하는 것?
"우와! 5,000만 원 벌었다. 파워포즈 자세 2분만 하면 되네! 쉽네!"

그런데 듣고, 본 것은 1초면 사라지는데.. 에잇! 강의 시간 끝나면 또 다 잊혀지겠지
파워포즈 자세만 집에서 꾸준히 할 수 있다면 얼마나 좋을까?
어떻게 생활 속에서 실천할 수 있을까?

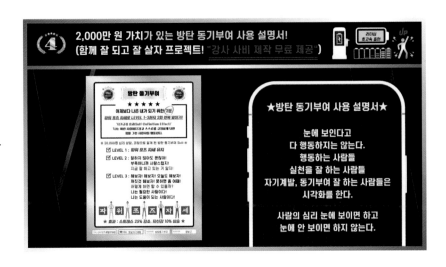

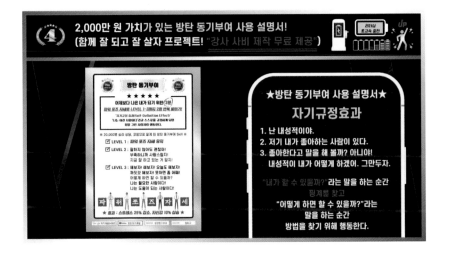

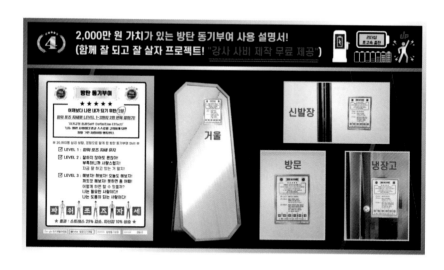

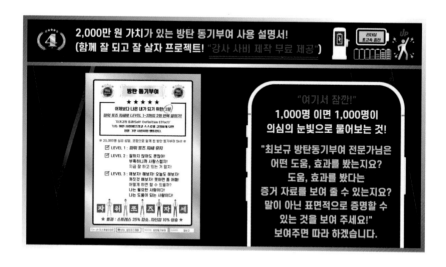

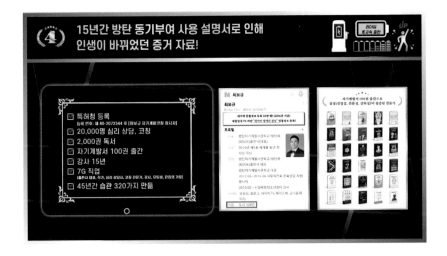

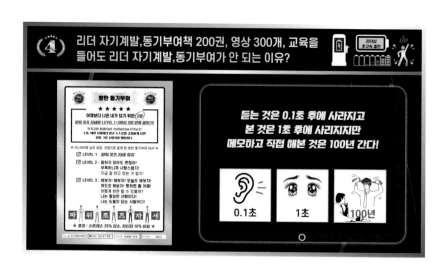

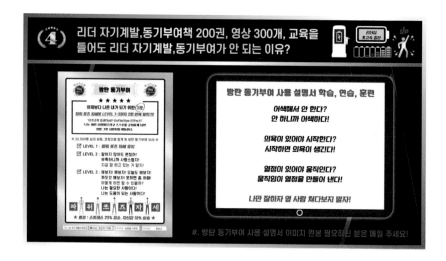

방탄 동기부여

★ ★ ★ ★ ★

어제보다 나은 내가 되기 위한 ②분!

파워 포즈 자세로 LEVEL 1~3까지 2회 반복 말하기!

'자기규정 효과(Self-Definition Effect)'
'나는 이런 사람이다'라고 스스로를 규정하게 되면
정말 그런 사람처럼 행동한다.

※ 20,000명 심리 상담, 코칭으로 알게 된 방탄 동기부여 Skill ※

☑ **LEVEL 1 : 파워 포즈 자세 유지**

☑ **LEVEL 2 :** 잘하지 않아도 괜찮아!
부족하니까 사랑스럽지!
지금 잘 하고 있는 거 알지!

☑ **LEVEL 3 :** 해보자! 해보자! 오늘도 해보자!
까짓것 해보자! 못하면 좀 어때!
어떻게 하면 할 수 있을까?
나는 필요한 사람이다!
나는 도움이 되는 사람이다!

★ **효과 : 스트레스 25% 감소, 자신감 10% 상승** ★

Google 자기계발아마존 ▶YouTube 방탄자기계발 NAVER 방탄동기부여 NAVER 최보규

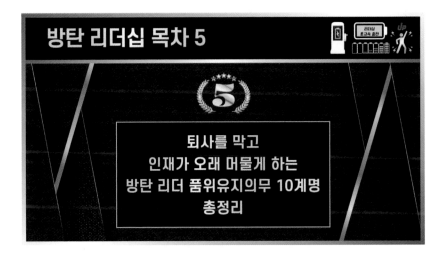

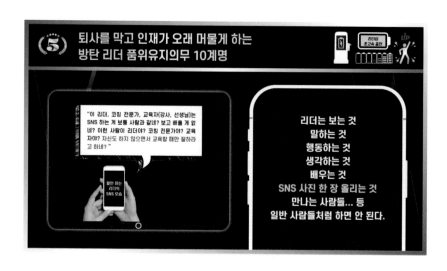

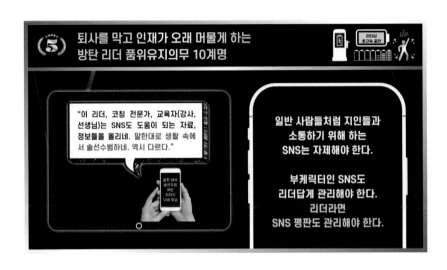

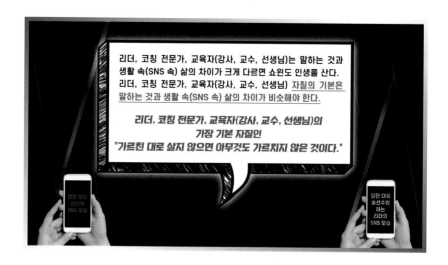

크랩 멘탈리티 스토리텔링

게를 잡는 어부들은 보통 작은 게들을 한 바구니에 몰아넣고 굳이 뚜껑을 덮지 않는다.

"혹시라도 게들이 바구니 밖으로 도망치지는 않을까?" 생각이 들겠지만 놀랍게도 단 한 마리의 게조차 탈출하지 못한다.

리더는 크랩 멘탈리티를 극복하는
자정작용 멘탈리티가 되어야 하고 되어 줘야 한다!

게 한 마리가 그곳에서 나가려고 하면 다른 게들이 그 게를 계속 안으로 끌어들인다.

그러한 모습에서 착안, 심리학자들은 남이 잘되는 모습을 못 보는 심리를 '크랩 멘탈리티'라고 이름 붙였다.

사람들 중에
크랩 멘탈리티
20%가 있다.

▶ 크랩 멘탈리티: 자신이 가질 수 없으면 아무도 가질 수 없게 만드는 행동.
'게 같은 사람들' 남이 잘 되는 것 못 보고 강한 자에게 약하고 약한 자에게 강한 이기적인 사람들.

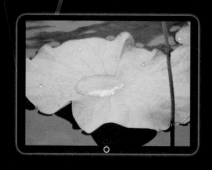

**자정작용 멘탈리티
스토리텔링**

자연치유 자정작용(연잎효과)

인당수에 빠진
심청이를 보듬은 꽃이 연꽃

식물이 자신의 생명을 위협하는
그을음이나 먼지, 균 같은 것을
스스로 씻어내는 작용을 연꽃 효과

48

⑤ 리더는 크랩 멘탈리티를 극복하는
자정작용 멘탈리티가 되어야 하고 되어 줘야 한다!

1982년 독일 본 대학교의
식물학자 빌헬름 바르트로트
교수팀이 알아낸
연잎의 자연적인
자정 및 방수 기능.

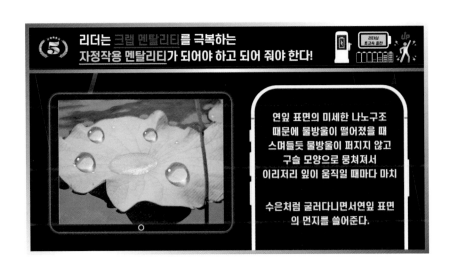

⑤ 리더는 크랩 멘탈리티를 극복하는
자정작용 멘탈리티가 되어야 하고 되어 줘야 한다!

연잎 표면의 미세한 나노구조
때문에 물방울이 떨어졌을 때
스며들듯 물방울이 퍼지지 않고
구슬 모양으로 뭉쳐져서
이리저리 잎이 움직일 때마다 마치

수은처럼 굴러다니면서연잎 표면
의 먼지를 쓸어준다.

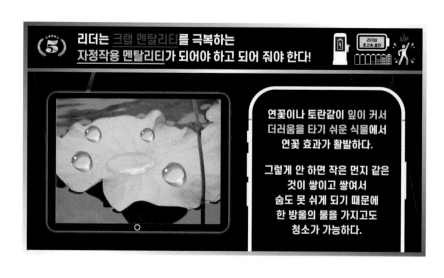

연꽃이나 토란같이 잎이 커서
더러움을 타기 쉬운 식물에서
연꽃 효과가 활발하다.

그렇게 안 하면 작은 먼지 같은
것이 쌓이고 쌓여서
숨도 못 쉬게 되기 때문에
한 방울의 물을 가지고도
청소가 가능하다.

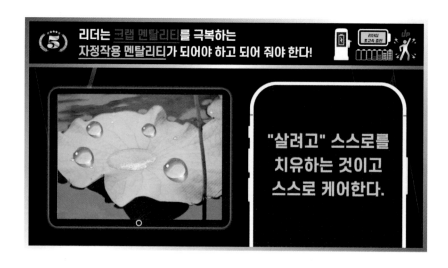

"살려고" 스스로를
치유하는 것이고
스스로 케어한다.

▶자정작용(연꽃 효과) 멘탈리티:
식물이 자신의 생명을 위협하는 그을음이나 먼지, 균 같은 것을 스스로 씻어내는 작용.
주위 사람들이나 자신을 스스로 케어해 줄 수 있는 태도(사고방식)를 가지고 있는 사람.

51

게를 잡는 어부들은 보통 작은 게들을 한 바구니에 몰아넣고 굳이 뚜껑을 덮지 않는다. 혹시라도 게들이 바구니 밖으로 도망치지는 않을까? 놀랍게도 단 한 마리의 게조차 탈출하지 못하는 것을 확인할 수 있었다. 게 한 마리가 그곳에서 나가려고 하면 다른 게들이 그 게를 계속 안으로 끌어들였기 때문이다. 그러한 모습에서 착안, 심리학자들은 남이 잘되는 모습을 못 보는 심리를 '크랩 멘탈리티'라고 이름 붙였다.

우리는 살면서 수많은 '게 같은 사람들'을 만난다. 자신이 아니면 아무도 안 된다고 여기는 이기적인 사람들 말이다. 그러한 사람들 앞에서는 우리는 과연 어떤 결정을 해야 할까? 물론 주변에 그런 사람들이 있다고 해도 흔들리지 않고 버틴다면야 괜찮겠지만 그래도 버티기만 할 수는 없는 일이다.

그런 사람들을 대하는 가장 올바른 방법은 그 모든 부정적인 말과 시선을 차단하고 곧바로 그곳을 벗어나는 일이다. 나의 도전과 성공을 아니꼽게 보고 해보기도 전부터 부정적인 의견을 내는 사람들은 피해야 한다.

그보다는 나와 닮은 사람들, 나의 크고 작은 성공과 도

전들을 기꺼이 축하해주고 박수 쳐 주는 사람들을 만나 긍정적인 시너지를 만들어가는 것이 훨씬 경제적이며 훨씬 더 나를 위한 일이다. 주변에 당신을 끌어내리려고 하는 사람이 있는가? 사소한 것에 질투하고 열등감에 사로잡힌 사람이 있는가? 이제는 당신을 위해 그런 사람들로부터 멀어져야 할 순간이다.

<열정에 기름 붓기>

멘탈리티 (mentality)
정신이나 의식이 놓인 상태 또는 생각하고 궁리하는 방법이나 태도. (사고방식, 심리 상태)

<국어사전>

자연치유 자정작용(연잎효과)
인당수에 빠진 심청이를 보듬은 꽃 아시죠...?
바로 연꽃인데요. 혹시 연꽃효과라고 들어보셨나요? 식물이 자신의 생명을 위협하는 그을음이나 먼지, 균 같은 것을 스스로 씻어내는 작용을 해서 연꽃 효과라고 합니다. 1982년 독일 본 대학교의 식물학자 빌헬름 바르트로트 교수팀이 알아낸 연잎의 자연적인 자정 및 방수기능. 연잎 표면의 미세한 나노구조 때문에 물방울이 떨어졌을 때 스며들듯 물방울이 퍼지지 않고 구슬 모양으로 뭉쳐져서 이리저리 잎이 움직일 때마다 마치 수은처럼 굴러다니면서 연잎 표면의 먼지를 쓸어준다고 합니다.

특히 연꽃이나 토란같이 잎이 커서 더러움을 타기 쉬운 식물에서 연꽃 효과가 활발하다고 하는데요.
그렇게 안 하면 작은 먼지 같은 것이 쌓이고 쌓여서 숨도 못 쉬게 되기 때문에 한 방울의 물을 가지고도 열심히 청소를 한데요. 그야말로 "살려고" 스스로를 치유하는 것이지요.

생각해보면 우리 인간에게도 그런 능력 있잖아요. 예를 들면 조용한 곳에서 혼자 시간을 갖고 나서, 아침 산책 후에 친구랑 신나게 수다 떨고 나서, 노래방에서 고래고래 소리 지르고 나서, 아니면 슬픈 영화를 보면서 실컷 울어버리고 난 뒤에, 이런 연꽃 효과 같은 일이 일어나기도 하는데요. 얼룩이 생기면 지울 수 있는 능력이 어떨 때는 그것을 역이용해서 훌훌 털고 일어날 수 있는 능력. 그런 힘은 바로 우리의 마음에서 나오는 거겠죠...? "마음먹기에 달렸다."는 말은 괜히 나온 말이 아닌 것 같아요.

<네이버 블로그 네오애플>

자정 작용 (自淨作用)
오염된 물이나 땅 따위가 저절로 깨끗해지는 작용.

<국어사전>

리더 코칭 전문가의 목표, 신념, 가치, 방향은 자정작용 멘탈리티[주위 사람들이나 자신을 스스로 케어 해줄 수 있는 태도(사고방식)를 가지고 있는 사람]을 양성, 코칭하는 것이다.

대한민국 5,200만 명이다. 그중에 크랩 멘탈리티가 몇 명이나 될까? 자정작용 멘탈리티가 몇 명이나 될까? 20,000명 심리 상담, 코칭하면서 알게 된 것은 크랩 멘탈리티가 20%, 크랩 멘탈리티에게 당하는 사람 70%, 자정작용 멘탈리티 10%다. 인재 1명이 10만 명을 먹여 살리듯 리더 코칭 전문가(자정작용 멘탈리티)1명이 10만 명을 케어 할 수 있다. 일반 코칭 전문가 양성, 코칭으로는 안 된다는 것이다. 개나 소나 닭이나 아무나 리더 코칭 전문가가 될 수 없는 것이다.

《리더 코칭 PT 10》

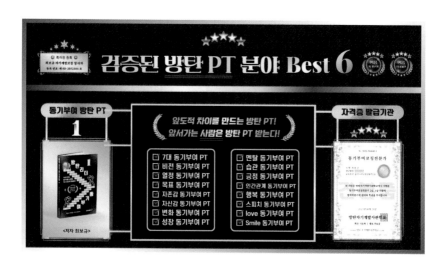

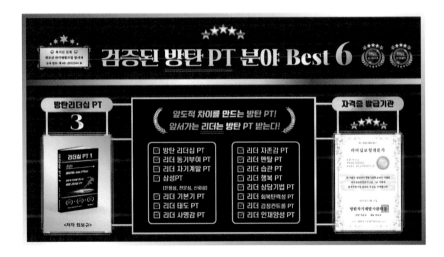

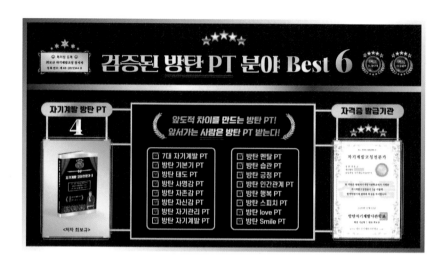

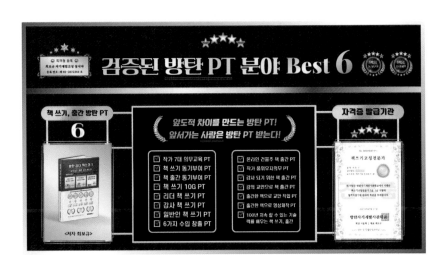

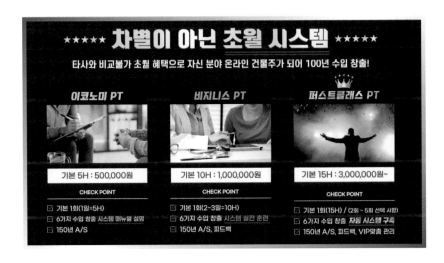

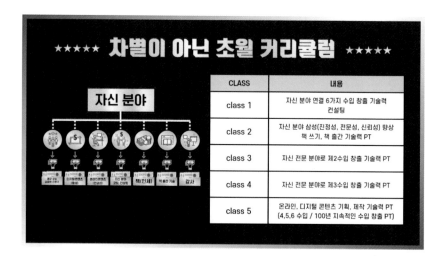

★★★★★ 차별이 아닌 초월 혜택 ★★★★★

이코노미 PT

기본 5H : 500,000원

- ☑ 150년 A/S (세계 최초)
- ☑ 마스터한 분야 자격증 1종 취득
- ☑ 방탄자기계발사관학교 강사 위촉
- ☑ 방탄자기계발사관학교 마스터 위촉
- ☑ 비지니스 PT 10% 할인
  (10만원 상당)
- ☑ 퍼스트클래스 PT 10% 할인
  (30만원 상당)
- ☑ 마스터한 분야 실전 2시간 강의
  교안 제공. (강사료 200만원 상당)

비지니스 PT

기본 10H : 1,000,000원

- ☑ 150년 A/S, 피드백
- ☑ 마스터한 분야 자격증 1종 취득
- ☑ 방탄자기계발사관학교 전임 강사 위촉
- ☑ 방탄자기계발사관학교 전임 마스터 위촉
- ☑ 퍼스트클래스 PT 10% 할인
  (30만원 상당)
- ☑ 강사 맞춤 트레이닝 비대면 1회 제공
  (50만원 상당)
- ☑ 마스터한 분야 실전 2시간 강의 교안
  제공, 1:1 맞춤 교안 설명
  (강사료 200만원 / 1:1 맞춤 100만원 상당)

퍼스트클래스 PT

기본 15H : 3,000,000원~

- ☑ 150년 A/S, 피드백, VIP맞춤 관리
- ☑ 자격증 3종 취득 (150만원 상당)
- ☑ 방탄자기계발사관학교 지회장 위촉
- ☑ 종이책, 전자책 출간 후 네이버 인물 등록
- ☑ 20H, 30H, 40H, 50H PT 20% 할인
- ☑ 강사 맞춤 트레이닝 대면 1회 제공
  (50만원 상당)
- ☑ 프로필 유튜브 홍보 영상 제작
  (100만원 상당)
- ☑ 마스터한 분야 풀 패키지 (교안 제공,
  1:1 맞춤 교안 설명, 청강 1회 제공)
  (강사료 200만원 / 1:1 맞춤 100만원 /
  청강 1회 200만원 상당)

★★★★★ 차별이 아닌 초월 커리큘럼 ★★★★★

자신 분야

CLASS	내용
class 1	자신 분야 연결 6가지 수입 창출 기술력 컨설팅
class 2	자신 분야 삼성(진정성, 전문성, 신뢰성) 향상 책 쓰기, 책 출간 기술력 PT
class 3	자신 전문 분야로 제2수입 창출 기술력 PT
class 4	자신 전문 분야로 제3수입 창출 기술력 PT
class 5	온라인, 디지털 콘텐츠 기획, 제작 기술력 PT (4,5,6 수입 / 100년 지속적인 수입 창출 PT)

방탄 리더십

리더는 누구나 되지만
방탄 리더 품위유지의무 10계명은
아무나 못한다!

방탄 리더 품위유지의무 10계명

1. 꾸준한 학습 (상담사의 전문적인 지식 이외에도 사람들이 평균적으로 물어보는 상담 스킬 학습)
2. 솔선수범 (공인이라는 마음)
3. 정신건강운동 (직원들의 부정을 긍정으로 밀어내기 위한 노력)
4. 측은지심 갖기 (안쓰러운 마음 안타까운 마음)
5. 답을 주는 방탄리더가 되지 않기 (중간자 입장에서)
6. 경청 (눈, 입, 코, 몸, 귀, 마음, 삶의 자세)
7. 진인사대천명 (7:3 최선을 다해서 상담하고 나머지 상황은 하늘이 한다는 마음)
8. 방탄리더 자신 삶 속으로 가져오지 않기
9. 코칭 내용 보완 유지
10. 나의 1%는 누군가에게 살아가는 100%가 될 수 있다.

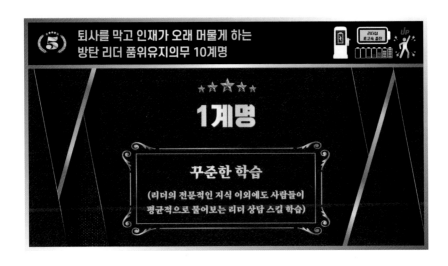

가르치지 않고 가르치는 리더 스토리텔링

어느 날 딸아이의 새 계좌를 만들려고 증권회사를 방문했는데 단순 예금통장밖에 써본 적이 없는 우리 아이는 직원의 말을 이해하지 못해 성가신 질문을 계속했다.

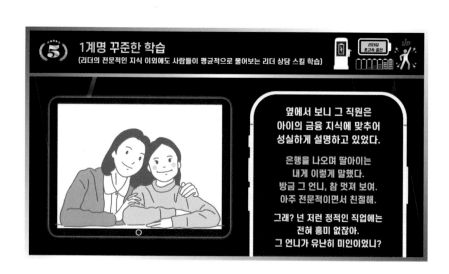

옆에서 보니 그 직원은 아이의 금융 지식에 맞추어 성실하게 설명하고 있었다.

은행을 나오며 딸아이는 내게 이렇게 말했다. 방금 그 언니, 참 멋져 보여. 아주 전문적이면서 친절해.

그래? 넌 저런 정적인 직업에는 전혀 흥미 없잖아. 그 언니가 유난히 미인이었니?

5 1계명 꾸준한 학습
(리더의 전문적인 지식 이외에도 사람들이 평균적으로 물어보는 리더 상담 스킬 학습)

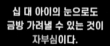

십 대 아이의 눈으로도
금방 가려낼 수 있는 것이
자부심이다.

나란히 앉아 있어도
한 사람에게는 없지만,
다른 한 사람의 머리 위에
반짝반짝 후광처럼 빛나는
그것이 직업적 자부심이다.

《대한민국에서 감정노동자로 살아남는 법》

5 1계명 꾸준한 학습
(리더의 전문적인 지식 이외에도 사람들이 평균적으로 물어보는 리더 상담 스킬 학습)

세상, 현실, 주위 사람들이
인정해 주는 직업이 아닐지라도
자신, 자신 분야, 하고 있는 일에
온 정성을 다할 때 꾸준한 학습을
할 때 눈빛, 표정, 말투, 행동에서
자부심이 나온다.

자부심이 나오면 가르치지 않고도
가르칠 수 있는 내공이 나온다.

남들이 부러워해야 자신의 직업적 자부심이 채워질 거라고 생각하는 사람들이 많다. 하지만 직업적 자부심과 남들이 부러워하는 직장에 다니는 것은 사뭇 다르다.
이 둘은 서로 다른 개념이다. 국내 굴지의 대기업인 삼성이나 엘지에 다닌다고 하면 많은 사람이 부러워한다. 그런 시선을 받으며 으쓱해지기 마련이고 직업적 자부심이 샘솟는 느낌이 들것이다.

실제로 사람들의 그런 시선을 받고자 대기업이나 번듯한 간판이 달린 회사 취업에 목을 매는 경우가 많다.
하지만 짚고 넘어가야 할 부분이 있다.
여기서 으쓱해지는 이 느낌, 이것이 과연 직업적 자부심일까? 여기서 얻고 싶었던 것은 자신이 하는 일을 통한 자부심이 아니라 남들이 부러워하는 시선이 아닐까?

어디에 있든 내가 하는 일을 잘 처리할 능력이 나에게 있고, 그 일을 통해 나와 가족을 돌보고 좀 더 나은 사람으로 성장하고 있다는 뿌듯함이 없다면 그러한 행위는 남을 의식한 겉치레에 불과하다. 당신이 현실저으로 더 나은 직장을 갖기 위해 노력하는 것은 온당하고 바람직하다. 그러나 그 기준이 남의 시선이 되어서는 곤란

하다. 마찬가지로 내가 어디에서 무슨 일을 하든 나의 직업적 자부심이 남의 시선과 대우에 좌우될 수는 없는 일이다.

어느 날 딸아이의 새 계좌를 만들려고 증권회사를 방문했는데 단순 예금통장밖에 써본 적이 없는 우리 아이는 직원의 말을 이해하지 못해 성가신 질문을 계속했다. 옆에서 보니 그 직원은 아이의 금융 지식에 맞추어 성실하게 설명하고 있었다.
은행을 나오며 딸아이는 내게 이렇게 말했다.
방금 그 언니, 참 멋져 보여. 아주 전문적이면서 친절해.
그래? 넌 저런 정적인 직업에는 전혀 흥미 없잖아. 그 언니가 유난히 미인이었나?

예쁜 건 그 옆에 있는 언니였어. 하지만 그 예쁜 언니는 내가 상사였다면 해고했을지도 몰라. 손님이랑 상담하면서도 몰래몰래 책상 아래 거울에 얼굴을 비춰보던걸? 자기 직업에 자부심이라곤 없어 보여. 나랑 상담한 언니는 친절하면서 뭐랄까, 이 세상 누구에게도 꿀리지 않는다는 자신감 같은 거, 자기 일에 대한 유능하고 성실한 느낌? 아무튼 오늘 하나 알았어. 뭘 하던 자기 일에 대한 자부심이 있을 때 무척 멋있어 보인다는 거.
맞아, 자부심이 있는 사람은 뭘 하고 있어도 빛이 나.

십 대 아이의 눈으로도 금방 가려낼 수 있는 것이 자부심이다. 똑같은 자리에 나란히 앉아 있어도 한 사람에게는 없지만, 다른 한 사람의 머리 위에는 반짝반짝 후광처럼 빛나는 그것이 직업적 자부심이다.

《대한민국에서 감정노동자로 살아남는 법》

비전 있는 일, 남들이 인정해주는 일, 돈을 많이 버는 일을 해야만 자부심이 생기는 것이 아니다. 세상, 현실, 주위 사람들이 인정해주는 직업이 아닐지라도 자신, 자신 분야, 하고 있는 일에 온 정성을 다할 때 눈빛, 표정, 말투, 행동에서 자부심이 나온다. 자부심이 나오면 가르치지 않고도 가르칠 수 있는 내공이 나오는 것이다.

가르치지 않고 가르치기 위해서는 코칭 전문가의 사람 심리, 가치, 내공, 목표, 방향, 신념, 자자자자멘습긍(자존감, 자신감, 자기관리, 자기계발, 멘탈, 습관, 긍정)을 그 누구보다 잘해야만 말, 표정, 행동에서 존경심이 나와 가르치지 않고 가르치게 되는 것이다.

가르친다고 느끼면 대부분 사람들이 이런 말을 한다. "저 사람은 말하는 것이 삼성(진정성, 전문성, 신뢰성)이 느껴지지도 않고 말만 잘 하는 것 같아. 자자자자멘습긍이 느껴지지 않아 나도 당신만큼은 하겠다. 너나 잘 하세요."

가르치지 않고 가르친다고 느끼면 대부분 사람들이 이런 말을 한다. "저 사람은 삼성(진정성, 전문성, 신뢰성)이 느껴진다. 말, 표정, 행동에서 열정, 자신감, '함께 잘되고 잘 살자' 태도를 느낄 수 있어서 대단함을 넘어서 존경심이 나온다."

가르치지 않고 가르치기 위해서는 어마어마한 내공이 있어야 한다. 코칭 전문가는 내공을 쌓기 위한 학습, 연습, 훈련을 일반 사람들과 다르게 해야 한다.

《리더 코칭 PT 10》

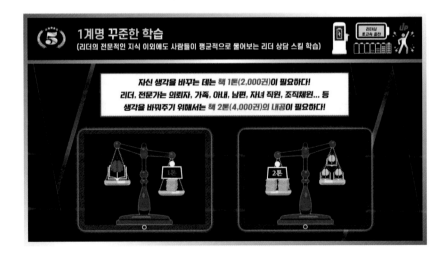

"인간의 뇌는 20대 중반이 되면 완전히 굳어버린다." "나이가 들수록 뇌기능은 퇴화한다."

거짓말에 절대 속으면 안 된다.

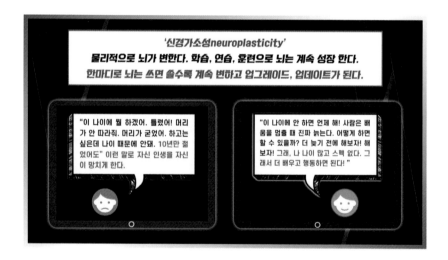

'신경가소성neuroplasticity'
물리적으로 뇌가 변한다. 학습, 연습, 훈련으로 뇌는 계속 성장 한다.
한마디로 뇌는 쓰면 쓸수록 계속 변하고 업그레이드, 업데이트가 된다.

"이 나이에 뭘 하겠어. 틀렸어! 머리가 안 따라줘. 머리가 굳었어. 하고는 싶은데 나이 때문에 안돼. 10년만 젊었어도" 이런 말로 자신 인생을 자신이 망치게 한다.

"이 나이에 안 하면 언제 해! 사람은 배움을 멈출 때 진짜 늙는다. 어떻게 하면 할 수 있을까? 더 늦기 전에 해보자! 해보자! 그래, 나 나이 많고 스펙 없다. 그래서 더 배우고 행동하면 된다! "

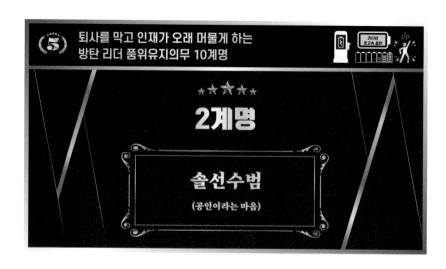

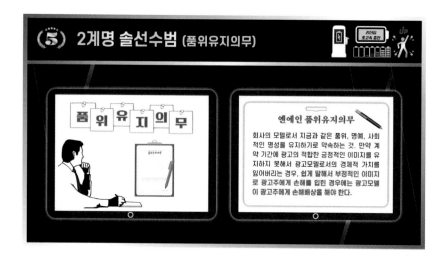

연예인 품위유지의무

회사의 모델로서 지금과 같은 품위, 명예, 사회적인 명성을 유지하기로 약속하는 것. 만약 계약기간에 광고의 적합한 긍정적인 이미지를 유지하지 못해서 광고모델로서의 경제적 가치를 잃어버리는 경우, 쉽게 말해서 부정적인 이미지로 광고주에게 손해를 입힌 경우에는 광고모델이 광고주에게 손해배상을 해야 한다.

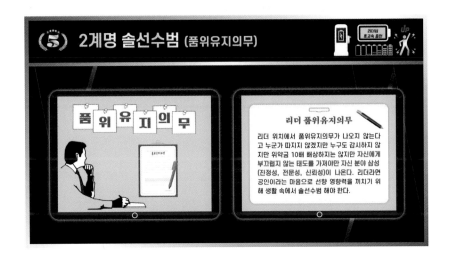

2계명 솔선수범 (품위유지의무)

품위유지의무

리더 품위유지의무

리더 위치에서 품위유지의무가 나오지 않는다고 누군가 따지지 않겠지만 누구도 감시하지 않지만 위약금 10배 배상하지는 않지만 자신에게 부끄럽지 않은 태도를 가져야만 자신 분야 삼성(진정성, 전문성, 신뢰성)이 나온다. 리더라면 공인이라는 마음으로 선한 영향력을 끼치기 위해 생활 속에서 솔선수범 해야 한다.

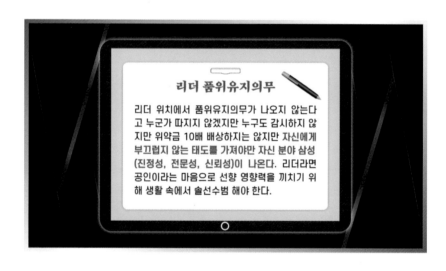

리더 품위유지의무

리더 위치에서 품위유지의무가 나오지 않는다고 누군가 따지지 않겠지만 누구도 감시하지 않지만 위약금 10배 배상하지는 않지만 자신에게 부끄럽지 않는 태도를 가져야만 자신 분야 삼성(진정성, 전문성, 신뢰성)이 나온다. 리더라면 공인이라는 마음으로 선향 영향력을 끼치기 위해 생활 속에서 솔선수범 해야 한다.

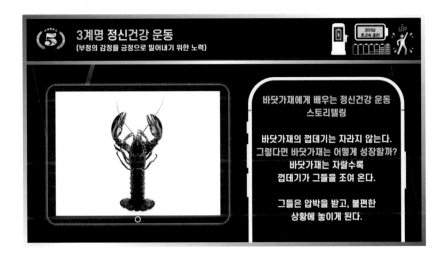

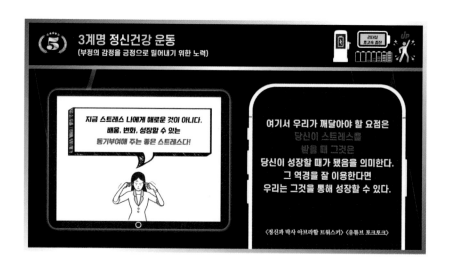

⑤ 스트레스는 건강에 해롭다? 스트레스는 해롭지 않다?

- 출처 <1분과학>

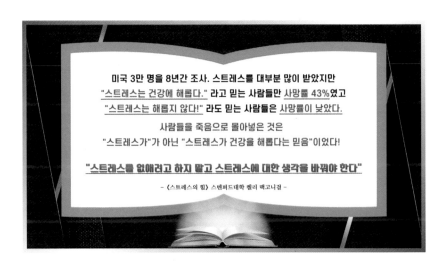

미국 3만 명을 8년간 조사. 스트레스를 대부분 많이 받았지만
"스트레스는 건강에 해롭다." 라고 믿는 사람들만 사망률 43%였고
"스트레스는 해롭지 않다!" 라도 믿는 사람들은 사망률이 낮았다.

사람들을 죽음으로 몰아넣은 것은
"스트레스가"가 아닌 "스트레스가 건강을 해롭다는 믿음"이었다!

"스트레스를 없애려고 하지 말고 스트레스에 대한 생각을 바꿔야 한다"

- 《스트레스의 힘》 스텐퍼드대학 켈리 맥고니걸 -

스트레스의 놀라운 반전!!

요동치는 심장 가빠지는 호흡, 소화는 안 되고, 손발은 차가워진다. 오늘도 어김없이 내 몸은 만병의 근원이라고 불리는 스트레스를 느낀다. 그 안 좋다는 스트레스를 매일같이 느끼니 난 오래 살기는 틀린 것 같다.

이런 두려움을 해소하기 위해 tv나 뉴스 서점에서는 스트레스 관리법에 대한 자료들로 가득한데 정말 우리는 스트레스를 느낄 때마다 명상을 하고 운동을 하고, 글을 쓰고, 오렌지 껍질을 벗기고, 책을 읽고, 아보카도를 먹고, 마사지를 받고, 모차르트를 듣고, 뜨개질을 하고, 섹스를 해야 할까? 정말 우리가 매일같이 느끼는 스트레스가 맹수로부터 위협을 받는다고 착각한 원시적인 우리 몸의 에러일까? 우리의 몸은 이 정도로 스트레스에 취약하게 설계된 것일까?

스트레스가 건강에 미치는 악영향을 조사하기 위해 미국인 3만 명을 8년간 추적하며 어떤 부류의 사람이 조기 사망하는지 조사했다. 지난 기간 스트레스를 많이 받았다고 대답한 사람들은 스트레스를 많이 받지 않았다고 답한 사람들에 비해 안타깝게도 사망률이 43%나 높았는데, 놀라운 것은 이 높아진 사망률이 스트레스를 받았다고 답한 사람들 중 스트레스가 건강에 해롭다고 믿는 사람들에게만 해당되는 것이었다.

똑같이 스트레스를 많이 받았다고 대답했지만, 스트레스가 건강에 해롭지 않다고 믿는 사람들은 사망률이 높아지기는커녕 오히려 스트레스를 받지 않았다고 답한 사람들보다도 사망률이 더 낮게 나타났다.

결국 사람들을 죽음으로 몰아넣은 것은 스트레스가 아닌 "스트레스가 건강을 해친다는 믿음"이었던 것이다.

피부암, 에이즈, 살인보다도 스트레스가 건강에 나쁘다고 믿는 것이 더욱 커다란 사망 원인이 된다는 웃지 못할 결론에 이르게 된다.

스탠포드의 건강 심리학자이자 켈리 맥고니걸은 이 발견을 시작으로 스트레스를 다시 연구하기 시작했고, 이것은 정말 놀라운 발견으로 이어진다.

"스트레스에 대한 생각의 변화만으로 건강해질 수 있을까?" 놀랍게도 그녀의 연구는 "그렇다"고 말한다.

호텔에서 매트리스를 들어 올리고 두꺼운 이불을 털며 매번 허리를 굽혔다. 폈다. 하는 하우스키퍼 분들의 일은 육체적으로 굉장히 힘든 노동이다.

1시간에 300칼로리를 소모하는 활동이며 이는 웨이트

트레이닝, 수중 에어로빅, 테니스에 맞먹는 강도의 노동이다.

이런 육체적 활동을 매일 하는 하우스키퍼들의 몸은 어떨까? 운동선수처럼 늘씬하고 탄탄한 몸을 갖고 있어야 하지 않을까? 스탠퍼드 대학의 알리아 크럼 박사는 미국 호텔에서 근무하는 하우스 키퍼드를 대상으로 건강을 체크 했는데 그들의 혈압이나 몸무게, 허리, 엉덩이 비율을 체크한 결과 그들의 신체 건강이 움직이지 않고 앉아서만 일하는 일반 회사원과 다르지 않다는 것을 발견했다.

그리고 그들에게 "평소 운동을 얼마나 하느냐"고 묻자 그들은 운동을 거의 하지 않는다고 대답했다. 그들이 하는 일 자체가 운동과 다를 바 없었지만 말이다. 따라서 크럼 박사는 하우스키핑에 소모되는 칼로리를 알려주는 포스터를 만들기로 한다.

매트리스 들어올리기, 바닥에 떨어진 수건 줍기, 무거운 카트 밀기, 청소기 돌리기 등 이렇게 포스터를 만들어 7개의 호텔 중 4개의 호텔에서 일하는 하우스키퍼들에게 전달했다.

크롬 박사는 4주 후 그들을 다시 찾았는데 그 결과가 정말 놀라웠다.

포스터를 전달받은 하우스키퍼들의 몸무게는 줄어들었고, 체지방까지 낮아진 것이다. 이 외에 그늘의 기타 운동량에는 전혀 변화가 없었는데도 말이다.

바뀐 건 오로지 "하우스키핑은 단순히 노동이 아닌, 칼로리를 소모하는 운동이다"라는 깨달음이었다.

또 다른 실험에서는 피실험자들에게 두 종류의 음료를 마시게 한 후 배고픔 호르몬이라고 불리는 그렐린의 수치를 측정했다.

이 배고픈 호르몬이 증가하면 신체는 배고픔을 느끼고, 이 호르몬이 줄어들면 배고픔을 느끼지 않는다.

그들에게 제공된 두 음료 중 하나에는 그대가 누려야 할 사치 620칼로리라고 적혀 있는 음료였고, 다른 하나에는 죄책감 없는 만족감 140칼로리라고 적힌 제품의 음료였다.

실험 결과는 당연해 보였다. 피실험자들의 배고픈 호르몬 수치는 620칼로리 음료를 마셨을 때 크게 줄어들었고, 140칼로리 음료를 마셨을 때는 조금밖에 줄어들지 않았다.

그런데 놀라운 것은 두 음료 모두 사실 380칼로리의 동일한 음료였다는 것이다.

체내 그렐린 호르몬의 수치를 바꾼 것은 그들이 마신 음료가 아닌 그들이 마신 음료에 대한 믿음이었던 것이다.

그렇다면 스트레스가 해롭지 않았다고 믿었던 사람들의 건강이 좋았던 이유는 뭘까? 하버드 대학 연구팀은 실험 참가자들을 대상으로 스트레스에 긍정적인 이미지를 심어주었다.

"스트레스를 받을 때 빨라지는 심장 박동은 다가올 어려움에 맞서 신체를 준비시키는 스트레스의 긍정적인 작용이고, 스트레스를 받을 때 가빠지는 호흡은 산소를 뇌에 빠르게 보내 뇌가 잘 기능할 수 있도록 해주는 스트레스에 긍정적인 효과이다." 라는 식으로 스트레스가 신체에 이롭다는 인상을 심어주었다.

그러자 정말 놀랍게도 스트레스를 받으며 위축되던 혈관이 스트레스를 느끼고도 이렇게 이완된 상태로 유지되었다.

매일 칼로리를 소모하던 하우스키퍼들이 포스터를 보고 나서야 비로소 운동 효과를 누렸던 것처럼 스트레스에도 우리가 몰랐던 사실이 있다.

혈관은 이완된 상태로 유지되고 호흡과 심장 박동이 빨라지는 이 상태, 이 상태는 우리의 몸이 용기를 낼 때의 상태와 같다. 이것이 바로 우리가 몰랐던 스트레스의 이면인 것이다.

스트레스의 반전은 이뿐만이 아니다. 스트레스를 받으면 코르티솔과 DHEA 두 호르몬이 나오는 코르티솔이 너무 많아지면 신체는 성장을 멈추고 면역 체계가 망가지며 우울감이 증가하지만 DHEA가 많아지면 신경 퇴화가 억제되고 면역체계가 활성화되며 우울감이 완화된다.

또한 DHEA는 집중력과 인지력을 강화하는 호르몬으로 뇌의 스테로이드라고 불리기도 하며, 그 예로는 DHEA 비율이 높은 학생일수록 대학에서 학점이 높았다는 연구 결과도 있다.

그런데 이렇게 서로 반대되어 보이는 두 호르몬이 스트레스를 받을 때 같이 분비된다는 것이다. 연구원들은 피실험자들에게 스트레스를 받게 하고 이 두 호르몬을 측정해 두었다.

그 후 스트레스가 몸에 이롭다는 것을 알려주는 영상을 3분간 시청하도록 하고, 다시 실험 참가자들에게 스트레스를 받게 한 후 두 호르몬을 측정했는데 그들의 코르티솔 분비량에는 변화가 없었지만 놀랍게도 DHEA 분비량이 전과 비교해 크게 증가한 것을 발견할 수 있었다. 스트레스가 몸에 이롭다는 것을 깨닫게 되자 정말 우리 몸이 스트레스를 받고 건강에 이로운 방향으로 호르몬을 분비한 것이다.

그렇다면 스트레스가 건강에 좋을 수도 있다는 말일까? 우리는 어찌해서 스트레스의 나쁜 점만 보게 되었을까? 스트레스는 상당히 최근에 만들어진 개념이다.

스트레스의 할아버지라고 불리우는 헝가리의 내분비학

자 한스 셀리에는 1936년 소의 난소에서 추출한 호르몬을 실험쥐에게 투여하는 실험을 했다.

그런데 이상하게도 호르몬을 투여한 쥐들에게서 궤양이 생기고 면역체계가 망가져 버리는 끔직한 한 일이 일어난다. 이를 의아하게 생각한 셀리에는 각종 용액을 주사기로 주입하며 결과를 관찰했는데, 콩팥에서 추출한 호르몬도, 비장에서 추출한 호르몬도 모두 실험지의 건강을 크게 악화시켰다.

실험 결과가 이상하다고 생각한 셀리에는 불현듯 건강 악화의 원인이 호르몬이 아닌 그들이 처해진 상황에 있는 것이 아닌가 하는 의심을 하기 시작, 새로운 실험을 실행한다.

셀리에는 실험쥐에게 쉬지 않고 운동을 시키거나 강력한 폭발음을 연속해서 들려주거나 척수를 잘라버리고 극단적인 추위와 더위에 노출시키는 등 끔찍한 상황을 만들어 실험쥐가 정신적인 고통을 받도록 했다.

그러자 실험쥐의 건강은 굉장히 악화되었고, 어떠한 물질을 주입하지 않아도 정신적 고통만 주면 건강을 악화시킬 수 있다는 것을 발견하게 되었다.

그리고 셀리에는 이것을 스트레스라고 부른다. 그런데 문제는 여기에서 시작된다. 실험지가 사방이 막힌 낯선 환경에서 척수가 잘려나가고 목숨을 위협하는 폭발음을 들으며 커다란 흉기가 몸을 관통하는 고문으로부터 발견한 스트레스를 섣불리 현대인의 일상에 적용하기 시작한 것이다. 우리 현대인은 하루에도 몇 번씩 스트레스를 느낀다고 한다.

그런데 우리가 일상에서 느끼는 스트레스를 감히 어떻게 실험쥐가 받은 고문과 비교할 수 있단 말인가? 그러나 이 오류는 완전히 무시된 채 셀리에의 연구는 담배 회사로부터 크게 환영받을 수 있고 셀리에는 그들의 지원을 받아 연구를 계속해 나간다. 그리고 그는 미국 의회에서 담배를 피우는 것이 스트관리에 도움이 된다고 증언하기도 했다. 그 덕분에 스트레스는 악명 높은 이미지를 갖게 된다.

이제 우리는 스트레스의 이미지를 바꿔 나가야 한다. 일상에서 받는 스트레스는 절대 나쁜 스트레스가 아니다. 운동의 고통은 육체를 건강하게 만들고, 채소의 쓴맛은 신체의 면역력을 기르듯이, 스트레스는 뇌의 운동이며 신체의 쓰디쓴 영양분이다. 최근 과학계에서는 스트레스에 이로운 점에 대한 재미있는 연구들이 많이 발표되고 있는데, 그중 하나는 스트레스가 쥐를 똑똑 하게 만든다는 연구이다.

연구원들은 실험실을 우리에 가두어 스트레스 호르몬을 어느 정도 치솟게 만들고 우리 밖으로 다시 풀어주었다. 그리고 2주 후 스트레스를 받은 쥐들과 안 받은 쥐들을 상대로 기억력 테스트 진행했는데, 2주 전 스트레스를 받은 쥐들이 그렇지 않은 쥐들보다 기억력이 월등히 좋아진 것을 발견할 수 있었다.

이 놀라운 결과의 원인을 계속 연구한 결과, 쥐가 스트레스를 받을 때 기억력을 담당하는 해마에서 새로운 신경세포가 생성된다는 것을 알게 되었다.

스트레스를 받은 뇌가 기억 저장소에 새로운 신경세포를 만든 것이다. 또 다른 연구에서는 일정 기간 동안 강하고 짧은 스트레스를 여러 번 받으면 뇌 속에서 BDNF가 증가한다는 것을 발견했다. BDNF는 뇌세포를 보호하고 뇌 속에 새로운 뇌세포를 생성하도록 돕는 뇌 안에 단백질이다. 그리고 스트레스를 받으면 옥시토신이라는 호르몬이 분비되는데, 이 옥시토신은 스트레스로부터 심장을 보호하고 심장 세포의 재생을 돕는다.

놀랍지 않은가? 스트레스는 당연히 심장 건강에 좋지 않은 줄만 알았는데 말이다. 이 밖에도 스트레스는 뇌에서 뉴런을 서로 연결시켜주는 뉴로트로핀과 면역 체계를 관장하는 인터류킨을 분비시킨다.

마지막으로 스트레스의 선입견을 제대로 바꿔주는 재미있는 사회 실험이 있다. 연구원들은 피실험자들이 스트레스를 받게끔 여러 가지 상황을 만들었다. 모의 면접을 보게 하고 상대방과 인지력 대결을 시키며 참가자들의 스트레스를 높였다.

그 후 "The Trust Game" 게임이라는 신뢰를 바탕으로 돈을 거래하는 게임을 하며 스트레스를 받은 참가자들의 행동이 어떻게 변화하는지 관찰했다.

결과는 정말 예상 밖이었다. 스트레스를 받으면 당연히 이기적인 마음을 가지고 자신의 몫을 더 챙기려 할 것 같지만, 스트레스를 받은 피실험자들은 스트레스를 받지 않은 사람들보다 50%나 더욱 자비로운 모습을 보여준 것이다. 이들이 겪은 투쟁 혹은 도피 반응이었다면 그들의 자비로운 행동은 불가능했을 것이다. 그들은 서로 싸우기는커녕 서로를 도와줬다.

켈리 맥고니걸은 이제 스트레스를 없애려고 하지 말고 스트레스에 대한 생각을 바꿔야 한다고 말한다.

우리가 스트레스를 위협이라고 믿는다면 신체는 그 위협에 맞게 투쟁, 도피 반응을 보일 수밖에 없을 것이다. 똑같은 운동을 해도 운동을 노동이라고 생각하면 운동의 효과를 보지 못하고 노동의 피곤함만 느끼는 것처럼 말이다. 우리는 머릿속에 있는 스트레스의 이미지를 바꿔야 한다.

<유튜브 1분과학>

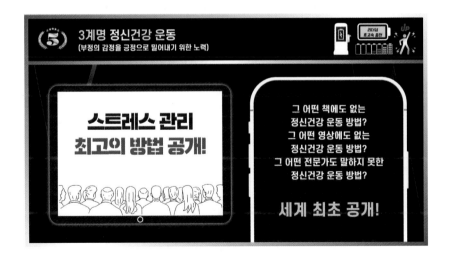

⑤ 3계명 정신건강 운동
(부정의 감정을 긍정으로 밀어내기 위한 노력)

자동차는 2만~3만 개가 부품이 모여 움직인다.
손목시계는 100개~200개 부품이 모여 움직인다.
스마트폰은 50개~100개 부품이 모여 움직인다.
방탄리더십 창시자는 정신건강 운동 습관 320가지로 정선건강 운동을 한다!

자신은?

| 2만~3만 개 | 100개~200개 | 50개~100개 | 정신건강 운동
습관 320가지 | 자신은? |

최보규 방탄리더십 전문가의 정신건강 운동(스트레스 관리) 습관 320가지 (2008년 ~ 진행 중)

1. 전신 장기기증
2. 유서 써놓기
3. 꿈 목표 설정
4. 영양제 챙기기
5. 꿀 챙기기
6. 계단 이용
7. 8시간 숙면
8. 취침 4시간 전 안 먹기
9. 기상 후, 자기 전 스트레칭 10분
10. 술, 담배 안 하기
11. 하루 운동 30분
12. 밀가루 기름진 음식 줄이기
13. 자극적인 음식 줄이기

14. 얼굴 눈 스트레칭
15. 박장대소 하루 2회
16. 기상 직후 양치질 물먹기
17. 물 7잔 마시기
18. 밥 먹는 중 물 조금만
19. 국물 줄이기
20. 밥 먹고 30후 커피 마시기
21. 기상 직후 책 듣기
22. 한 달 책 15권 보기
23. 책 메모하기
24. 메모 ppt 만들기
25. SNS 캡처 자료수집
26. 강의 자료 항상 찾기

27. 좋은 글 점심때 보내기
28. 사랑의 전화 봉사
29. 주말 유치원 봉사
30. 지인 상담봉사
31. 강의 재능기부
32. 사랑의 전화 후원
33. 강의자료 주기
34. TV 줄이기
35. 부정적인 뉴스 줄이기
36. 솔선수범하기
37. 지인들 선물 챙기기
38. 한 달 한번 등산
39. 몸에 무리 가는 행동 안 하기
40. 하루 감사 기도 마무리

41. 탄산음료, 과일주스 줄이기
42. 아침 유산균 챙기기
43. 고자세
44. 스마트폰 소독 2번
45. 게임 안 하기
46. SNS 도움 되는 것 공유
47. 전단지 받기
48. 긍정, 멘탈 사용설명서 도구 스티커 나눠주기
49. 학습자 선물 주기
50. 강의 피드백 해주기
51. 자일리톨 원석 먹기 하루 3개
52. 찬물 줄이고 물 미온수 먹기
53. 소금물 가글
54. 알람 듣고 바로 일어나기

92

55. 오전 10시 이후 커피 먹기
56. 믹스커피 안 먹기
57. 강의 족보 주기
58. 강의 동영상 주기
59. 강의 녹음파일 주기
60. 블로그 좋은 글 나누기
61. 인스턴트 음식 줄이기
62. 아이스크림 줄이기
63. 빨리 걷기
64. 배워서 남 주자 실천(PPT)
65. 읽어서 남 주자 실천(책 속의 글)
66. 오른손으로 차 문 열기
67. 오손도손 오손 왼손 캠페인
    전파하기
68. 운전 중 스마트폰 안 보기

69. 취침 전 30분 독서
70. 취침 전 30분 스마트폰 안 보기
71. 오늘이 마지막인 것처럼 섬기고
    영원히 살 것처럼 배우기
72. 자존심 신발장에 넣어 두고 나오기
73. 내가 받은 상처는 모래에 새기고
    내가 받은 은혜는 대리석에 새기기
74. 어제의 나와 비교하기
75. 어제 보다 0.1% 성장하기
76. 세상에서 가장 중요한 스펙?
    건강, 태도 실천하기
77. 나방이 되지 않기
78. 마라톤 10주 프로그램 시작
79. 마라톤 5km 도전
80. 마라톤 10km 도전

81. 마라톤 하프 도전
82. 마라톤 풀코스 도전
83. 자기 전 5분 명상
84. 뱃살 스트레칭 3분
85. 아침 동기부여 사진 보내기 8시
86. 저녁 동기부여 사진 보내기 9시
87. 나의 1%는 누군가에게는
    100%가 될 수 있다. 실천
88. 150세까지 지금 몸매, 몸 상태
    유지 관리
89. 아침 달걀 먹기
90. 운동 후 달걀 먹기
91. 헬스장 등록
92. 오래 살기 위해서가 아니라 옳게
    살기 위해 노력하는 사람이 되자
93. 남들이 하는 거 안 하기
    남들이 안 하는 거 하기

94. 아침 결명자차 마시기
95. 저녁 결명자차 마시기
96. 폼롤러 스트레칭
97. 어제보다 나은 내가 되자
98. 남들이 안 하는 강의 분야 도전
99. 플랭크 운동
100. 스쿼터 운동
101. 계산할 때 양손으로 주고받고 인사
102. 명함 거울 선물 주기
103. 40살 되기 전 책 출간
104. 반 100년 되기 전 책 5권 집필하기
105. 유튜브[나다운TV] 강사심폐소생술
106. 유튜브[나다운TV] 나다운심폐소생술
107. 아.원.때.시.후.성.실 말 줄이기
108. 나다운 강사 책 유튜브 올려 함께 잘 되기
109. 리플렛으로 동기부여 시켜주기

110. 아침 8시 동기부여 메시지 만들어 보내기
111. 저녁 9시 동기부여 메시지 만들어 보내기
112. 어ول 책 속의 한 줄에 책 내용 올리기
113. 책 내용 SNS 오픈
114. 3번째 책 원고 작업 시작
115. 4번째 책 자료수집
116. 뱃살관리 스트레칭 아침, 저녁 5분
117. 3번째 책 기획출판계약
118. 최보규강사관학교 시작
119. 최보규강사사관학교 지회 원장 임명
120. 올 노(올바른 노력)공식 오픈
121. 행복, 방탄멘탈 공식 자자자멘금급 오픈
122. 생화 네 잎 클로버 선물 주기
123. 세바시를 통해 극단적인선택 예방 전파!
124. 세바시를 통해 자자자멘금급 사용설명서 전파!
125. 4번째 책 원고 시작 2021년 1월 출간 목표!
126. 전염성이 강한 상황 왔을 때 대처하기 위한 준비!
127. 코로나19 극복을 위한 공적 마스크 독고 어르신들 주기!

93

128. 아내를 위해 앉아서 소변보기
129. 들어라 하지 말고 들게 하자
130. 좋은 사람이 되지 말고 좋은 사람 되어주자.
131. 좋아하게 하지 말고 좋아지게 하자
132. 보여주는(인기)인생을 사는 것보다
     보여지는(인정)인생을 살아가자.
133. 나 이런 사람이야 말하지 않아도
     이런 사람이구나 느끼게 하자.
134. 마음을 얻으려 하지 말고 마음을 열게 하자.
135. 믿으라 하지 말고 믿게 하자
136. 나에 행복 0순위는 아내의 행복이다!
     일어나서 자기 전까지 모든 것 아내에게 집중!
137. 아내 말을 잘 듣자! 하는 일이 잘 된다!
138. 아버지가 어머니에게 이렇게 대했으면 하는 남편이
     되겠습니다. 매형들이 누나들에게 이렇게 대했으면
     하는 남편이 되겠습니다.
139. 내 몸은 아내거다. 빌려 쓰는 거다! 담배, 술, 몸에
     무리가 가는 모든 것 자제 하고 건강관리, 자기관리
     하겠습니다.
140. 아내의 은혜를 보답하기 위해 머리, 가슴, 몸, 돈으로
     실천하겠습니다!

141. 아내에게 받은 사랑(내조) 보답하기 위해 머리, 가슴, 몸, 돈
     으로 실천하겠습니다.
142. 아내를 몸, 마음, 돈으로 평생 웃게 해서 호강시켜주겠습니다.
143. 아내를 존경하겠습니다. 세상에 아내 같은 여자 없습니다.
144. 아내 빼고는 모든 여자는 공룡이다! 정신으로 살겠습니다.
145. 많은 사람들에게 인정받는 남편이 아닌 아내에게 인정받는
     남편이 되기 위해 먼저 맞춰가는 남편이 되겠습니다.
146. 아내에게 무조건 지겠습니다.
     이기려 하지 않겠습니다. 아내 앞에서는 나직성자체를
     내려놓겠습니다. (나이, 직급, 성별, 자존심, 체면)
147. 지저분한 것(음식물 쓰레기, 화장실 청소)다 하겠습니다.
148. 함께하는 한 가지를 위해 개인 생활 10가지를 감수하겠습니다.
149. 최강자 학습지 시작 (최보규의 감사학습지, 자기계발학습지)
150. 홀코 시작(집에서 화상 1:1 케어)
151. 불자의 인생 시작
152. 나는 복덩어리다. 나는 운이 좋은 사람을
153. 베스트셀러 3권 달성 노하우 책쓰기 교육 시작
154. 유튜브, 유튜버 100년 하는 노하우 교육 시작

155. 방탄멘탈마스터 양성 시작
156. 나다운 방탄멘탈 책으로 극단적인 선택 줄이기
157. 아침 8시, 저녁 9시 방탄멘탈공식 SNS 공유
158. 5번째 책 2022년 나다운 방탄사랑
159. 2023 나다운 방탄멘탈 2
160. 2024 나다운 책 쓰기(100년 가는 책)
161. 2025 유튜버가 아니라 나튜버 (100년 가는 나튜버)
162. 2026 나다운 강사3(Q&A)
163. 2027 나다운 명언
164. 2029 나다운 인생(50살 자서전)
165. 줌 화상 기법 강의, 코칭(최보규줌사관학교)
166. 언택트(비대면)시대에 맞게 아날로그 방식 80%를
     디지털 방식 80%로 체인지
167. 변기 뚜껑 닫고 물 내리기
168. 빨래개기
169. 요리하기, 요리책 내기 위한 자료 수집
170. 화장실 물기 제거

171. 부엌 청소, 집 청소, 화장실 청소
172. 사랑해 100번 표현하기
173. 아내에게 하루 마무리 안마 5분 해주기
174. 헌혈 2달에 1번
175. 헌혈증 기부
176. 네 번째 책 행복 히어로 책 출간
177. 극단적인 선택률, 이혼율 낮추기 위한 교육 시작
178. 행복을 높이기 위한 교육 시작
179. 다섯 번째 책 원고 작업 시작
180. 여섯 번째 책 자료 수집
181. 운전 중 양보 해 줄 때, 받을 때 목례로 인사하기.
182. 다섯 번째 책 나다운 방탄습관블록 출간
183. 습관사관학교 시스템 완성
184. 습관 코칭, 교육 시작
185. 아침 8시, 저녁 9시 습관 메시지 sns 공유
186. 습관 전문가 되어 무료 케어 상담 시작
187. 습관 콘텐츠 유튜브<행복히어로>에 무료 오픈 시작

최보규 방탄리더십 전문가의 정신건강 운동(스트레스 관리) 습관 320가지 (2008년 ~ 진행 중)

188. 여섯 번째 책 원고 작업 시작
189. 최보규상(대한민국 노벨상) 버킷리스트 설정
190. 2037년까지 운영진, 자금(상금), 시스템 완성 목표 설정
191. 최보규상을 1,000년 동안 유지하기 위한 공부
192. 일곱 번째 자존감 책 원고 작업
193. 여덟 번째 책 쓰기 책 자료 수집, 공부
194. 앉아서 일할 때 50분의 한번 건강 타이머 누르기
195. 세계 최초 자기계발쇼핑몰(www.자기계발아마존.com)
196. 온라인 건물주 분양 시작(월세, 연금성 소득 올릴 수 있는 시스템)
197. 일곱, 여덟 번째 책 축간(나다운 방탄자존감 명언 I , II)
198. 자기계발코칭전문가 1급, 2급 자격증 교육 시작
199. 방탄자기계발사관학교 I , II , III , IV 4권 출간
200. 2021년 목표였던 9권 책 출간 달성!
201. 하루 3번 호흡 스백 습관 쌓기 시작
       (코 8초 마시고, 5초 멈추고, 입으로 8초 내뺄기)
202. 장모님께 출간 한 책 12권 드리기
203. 2022년 최보규의 책 쓰기9 원고 작업 시작
204. 100만 프리랜서를 도움주기 위한 프로젝트 시작

205. 방탄 자존감 코칭 기술
206. 방탄 자신감 코칭 기술
207. 방탄 자기관리 코칭 기술
208. 방탄 자기계발 코칭 기술
209. 방탄 멘탈 코칭 기술
210. 방탄 습관 코칭 기술
211. 방탄 긍정 코칭 기술
212. 방탄 행복 코칭 기술
213. 방탄 동기부여 코칭 기술
214. 방탄 정신교육 코칭 기술
215. 꿈 코칭 기술
216. 목표 코칭 기술
217. 방탄 강사 코칭 기술
218. 방탄 강의 코칭 기술
219. 파워포인트 코칭 기술
220. 강사 트레이닝 코칭 기술
221. 강사 스킬UP 코칭 기술
222. 강사 인성, 멘탈 코칭 기술

최보규 방탄리더십 전문가의 정신건강 운동(스트레스 관리) 습관 320가지 (2008년 ~ 진행 중)

223. 강사 습관 코칭 기술
224. 강사 자기계발 코칭 기술
225. 강사 자가관리 코칭 기술
226. 강사 양성 코칭 기술
227. 강사 양성 과정 코칭 기술
228. 퍼스널브랜드 코칭 기술
229. 방탄 리더십 코칭 기술
230. 방탄 인간관계 코칭 기술
231. 방탄 인성 코칭 기술
232. 방탄 사랑 코칭 기술
233. 스트레스 해소 코칭 기술
234. 힐링, 웃음, FUN 코칭 기술
235. 마인드컨트롤 코칭 기술
236. 사명감 코칭 기술
237. 신념, 열정 코칭 기술
238. 팀워크 코칭 기술
239. 협동, 협업 코칭 기술
240. 버킷리스트 코칭 기술

241. 종이책 쓰기 코칭 기술
242. PDF 책 쓰기 코칭 기술
243. PPT로 책 출간 코칭 기술
244. 자격증 교육 커리큘럼으로 책 출간 코칭 기술
245. 자격증 교육 커리큘럼으로 영상 제작 코칭 기술
246. 책으로 디지털콘텐츠 제작 코칭 기술
247. 책으로 온라인 콘텐츠 제작 코칭 기술
248. 책으로 네이버 인물 등록 코칭 기술
249. 책으로 강의 교안 제작 코칭 기술
250. 책으로 민간 자격증 만드는 코칭 기술
251. 책으로 자격증 과정 8시간 제작 코칭 기술
252. 책으로 유튜브 콘텐츠 제작 코칭 기술
253. 유튜브 시작 코칭 기술
254. 유튜브 자존감 코칭 기술
255. 유튜브 멘탈 코칭 기술
256. 유튜브 습관 코칭 기술
257. 유튜브 목표, 방향 코칭 기술
258. 유튜브 동기부여 코칭 기술

259. 유튜브가 아닌 나튜브 코칭 기술
260. 유튜브 영상 제작 코칭 기술
261. 유튜브 영상 편집 코칭 기술
262. 유튜브 울렁증 극복 코칭 기술
263. 유튜브 썸네일 디자인 제작 코칭 기술
264. 유튜브 콘텐츠 제작 코칭 기술
265. 유튜브 수입 연결 제작 코칭 기술
266. 유튜브 영상 홍보 코칭 기술
267. 홈페이지 무인시스템 연결 제작 코칭 기술
268. 홈페이지 자동 결제 시스템 제작 코칭 기술
269. 홈페이지 비메오 연결 제작 코칭 기술
270. 홈페이지 랜탈 시스템 제작 코칭 기술
271. 홈페이지 디자인 제작 코칭 기술
272. 홈페이지 제작 코칭 기술
273. 재능마켓 크몽 PDF 입점 코칭 기술
274. 재능마켓 크몽 강의 입점 코칭 기술
275. 재능마켓 크몽 이미지 디자인 제작 코칭 기술
276. 재능마켓 크몽 입점 영상 제작 코칭 기술
277. 재능마켓 크몽 입점 영상 편집 코칭 기술
278. 재능마켓 크몽 VOD 입점 코칭 기술
279. 클래스101 영상 입점 코칭 기술
280. 클래스101 PDF 입점 코칭 기술
281. 클래스101 이미지 디자인 제작 코칭 기술
282. 클래스101 영상 제작 코칭 기술
283. 클래스101 영상 편집 코칭 기술
284. 탈잉 영상 입점 코칭 기술
285. 탈잉 PDF 입점 코칭 기술
286. 탈잉 이미지 디자인 제작 코칭 기술
287. 탈잉 영상 제작 코칭 기술
288. 탈잉영상 편집 코칭 기술
289. 탈잉 VOD 입점 코칭 기술
290. 클래스U 영상 입점 코칭 기술
291. 클래스U 영상 제작 코칭 기술
292. 클래스U 영상 편집 코칭 기술
293. 클래스U 이미지 디자인 제작 코칭 기술
294. 클래스U 커리큘럼 제작 코칭 기술

295. 인룸 입점 코칭 기술
296. 자신 분야 콘텐츠 제작 코칭 기술
297. 자신 분야 콘텐츠 컨설팅 코칭 기술
298. 자기계발코칭전문가 1시간 ~ 1년 코칭 기술
299. 강사코칭전문가, 리더십코칭전문가 1시간 ~ 1년 코칭 기술
300. 온라인 건물주 되는 코칭 기술
301. 강사 1:1 코칭기법 코칭 기술
302. 전문 분야 있는 사람 1:1 코칭 기법 코칭 기술
303. CEO, 대표, 리더, 협회장 품위유지의무 코칭 기술
304. 은퇴 준비 코칭 기술
305. 2023년 나다운 방탄리더십 1, 2, 3, 4, 5 출간
306. 나다운 방탄리더십 아침, 저녁 메시지 시작
307. 강사코칭전문가 자격증 시스템 시작
308. 방탄 리더십 원고 작업 시작
309. 방탄 리더 자존감 원고 작업 시작
310. 방탄 리더 멘탈 원고 작업 시작
311. 방탄 리더 습관 원고 작업 시작
312. 방탄 리더 행복 원고 작업 시작
313. 방탄 리더 자기계발 원고 작업 시작
314. 방탄 리더 원고 작업 시작
315. 마트에서 구입한 물건들 바코드 정렬해서 몰리기
316. 장모님 머리 염색해 주기
317. 처남 금연, 금주 도와주기
318. 한 해 시작할 때 습관 영상 업로드
319. 결혼기념일 뻣지, 명살 제작
320. 뒤꿈치 들기 운동 시작

자신, 자신 분야 다듬는 도구

독서　유튜브　교육　강의

코칭 전문가　SNS　친구　지인들

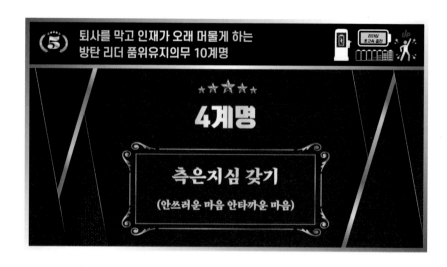

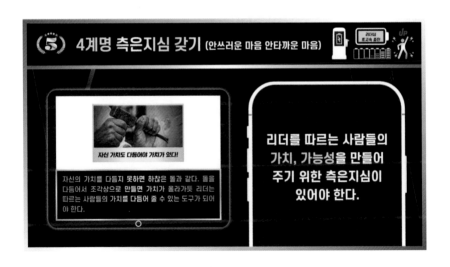

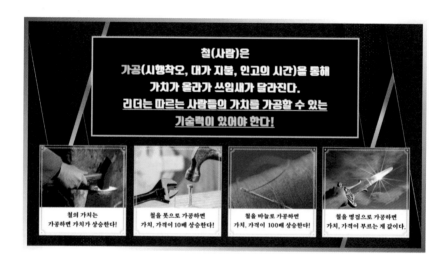

철(사람)은
가공(시행착오, 대가 지불, 인고의 시간)을 통해
가치가 올라가 쓰임새가 달라진다.
리더는 따르는 사람들의 가치를 가공할 수 있는
기술력이 있어야 한다!

철의 가치는
가공하면 가치가 상승한다!

철을 못으로 가공하면
가치, 가격이 10배 상승한다!

철을 바늘로 가공하면
가치, 가격이 100배 상승한다!

철을 명검으로 가공하면
가치, 가격이 부르는 게 값이다.

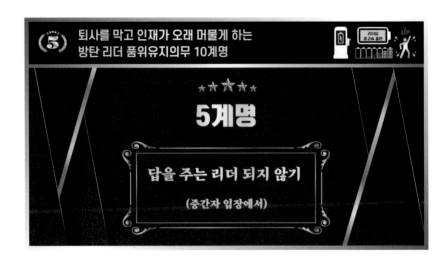

선택한 순간 차선책은 없다!

선택을 잘하는 최고의 방법? "최고의 선택은 없다!" 라는 태도로
선택한 후 최고의 결과를 내기 위해
자신을 믿고 꾸준히 행동하는 것뿐이다!

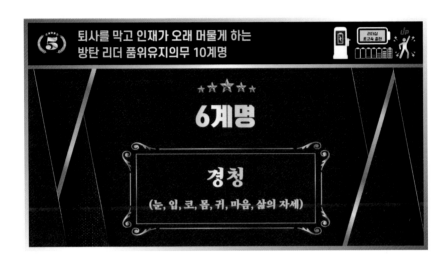

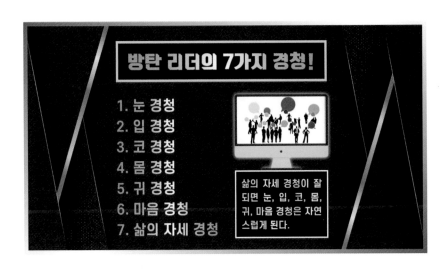

방탄 리더의 7가지 경청!

1. 눈 경청
2. 입 경청
3. 코 경청
4. 몸 경청
5. 귀 경청
6. 마음 경청
7. 삶의 자세 경청

삶의 자세 경청이 잘
되면 눈, 입, 코, 몸,
귀, 마음 경청은 자연
스럽게 된다.

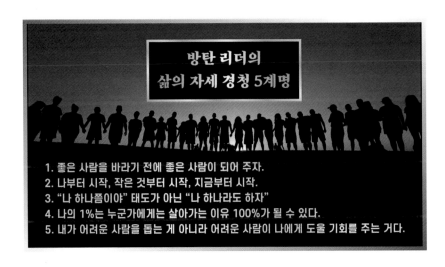

방탄 리더의
삶의 자세 경청 5계명

1. 좋은 사람을 바라기 전에 좋은 사람이 되어 주자.
2. 나부터 시작, 작은 것부터 시작, 지금부터 시작.
3. "나 하나쯤이야" 태도가 아닌 "나 하나라도 하자"
4. 나의 1%는 누군가에게는 살아가는 이유 100%가 될 수 있다.
5. 내가 어려운 사람을 돕는 게 아니라 어려운 사람이 나에게 도울 기회를 주는 거다.

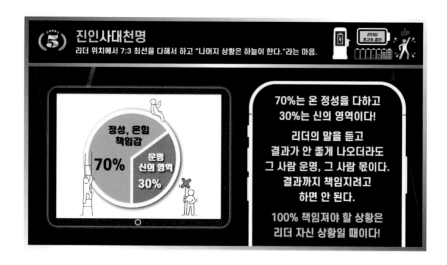

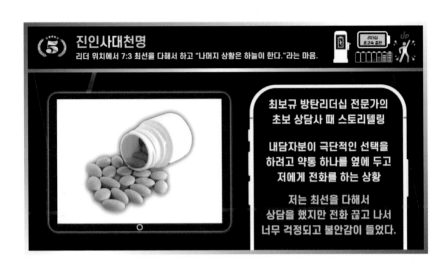

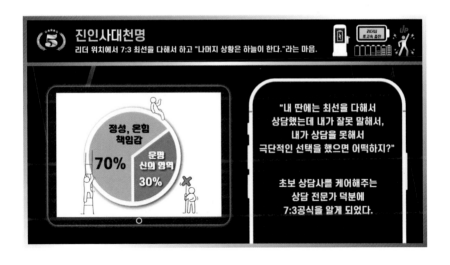

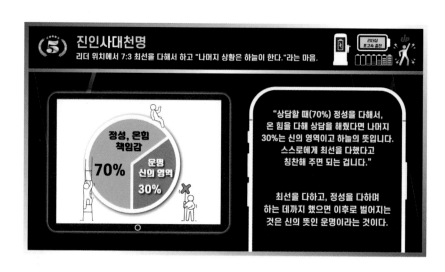

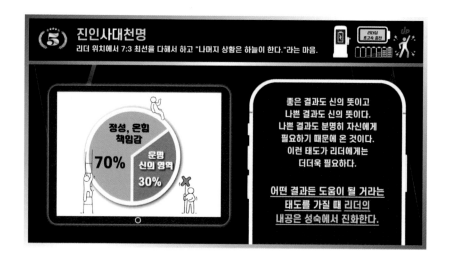

- 상담 스토리텔링

(필자가 상담 초보 때 경험한 스토리텔링)

내담자분이 극단적인 선택을 하려고 약통 하나를 옆에 두고 필자에게 전화를 하는 상황이다. 필자는 최선을 다해서 상담을 했다. 전화 끊고 나서 너무 걱정되는 것이다. 내 딴에는 최선을 다해서 상담했는데 내가 잘못 말해서, 내가 상담을 못해서 극단적인 선택을 했으면 어떡하지? 불안감이 들었다.

필자가 코칭 전문가를 양성하고 코칭 전문가를 사후 관리로 케어 해주듯이 심리상담사를 케어 해주는 상담사가 따로 있다.

그 상담사에게 오늘 상담했던 것을 얘기했다. 상담사 조언 덕에 7:3공식을 알게 되었다.

"상담할 때(70%) 정성을 다해서, 온 힘을 다해 상담을 해줬다면 나머지 30%는 신의 영역이고 하늘의 뜻입니다. 스스로에게 최선을 다했다고 칭찬 해주면 되는 겁니다."

인생이란 것도 7:3공식을 접목하면 된다. 최선을 다하고, 정성을 다하며 하는 데까지 했으면 이후로 벌어지는 것은 신의 뜻인 운명이라는 것이다. 좋은 결과도 신의 뜻이고 나쁜 결과도 신의 뜻이다. 나쁜 결과도 분명히 자신에게 필요하기 때문에 온 것이다. 이런 태도가 코칭 전문가에게는 더 더욱 필요하다.

어떤 결과든 도움이 될 거라는 태도를 가질 때 코칭 전문가의 내공은 성숙에서 진화를 할 것이다.

《리더 코칭 PT 11》

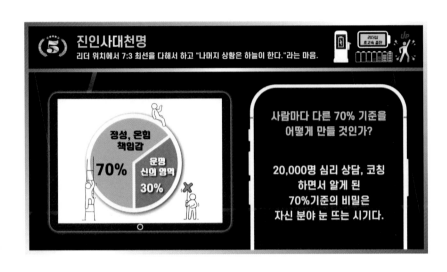

진인사대천명
리더 위치에서 7:3 최선을 다해서 하고 "나머지 상황은 하늘이 한다."라는 마음.

장성, 온힘
책임감
70%

운명
신의 영역
30%

사람마다 다른 70% 기준을
어떻게 만들 것인가?

20,000명 심리 상담, 코칭
하면서 알게 된
70%기준의 비밀은
자신 분야 눈 뜨는 시기다.

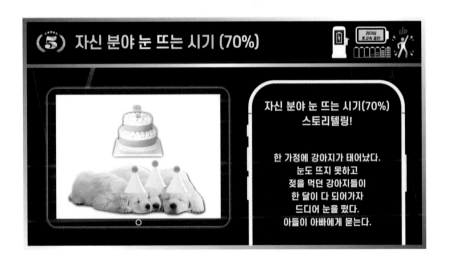

자신 분야 눈 뜨는 시기 (70%)

자신 분야 눈 뜨는 시기(70%)
스토리텔링!

한 가정에 강아지가 태어났다.
눈도 뜨지 못하고
젖을 먹던 강아지들이
한 달이 다 되어가자
드디어 눈을 떴다.
아들이 아빠에게 묻는다.

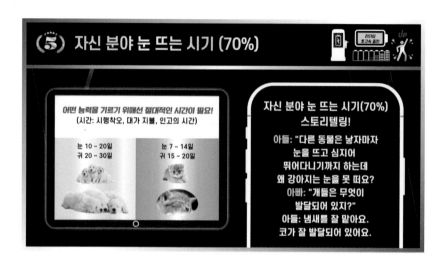

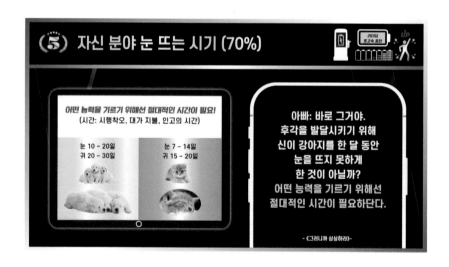

맹도견으로 유명한 레트리버 한 마리를 교회에서 기르는데 새끼를 아홉 마리나 낳았다. 꼬물꼬물 눈도 뜨지 못하고 젖을 먹던 강아지들이 한 달이 다 되어가자 드디어 눈을 떴다.

아들이 내게 물었다.

"다른 동물은 낳자마자 눈을 뜨고 심지어 뛰어다니기까지 하는데 왜 강아지는 눈을 못 떠요?"

내가 아들에게 물었다.

"개들은 무엇이 발달되어 있지?"

아들이 대답했다.

"냄새를 잘 맡아요. 코가 발달되어 있지요."

"바로 그거야. 후각을 발달시키기 위해 하나님은 강아지를 한 달 동안 눈을 뜨지 못하게 한 것이 아닐까. 어떤 능력을 기르기 위해선 절대적인 시간이 필요하거든."

《그러니까 상상하라》

⑤ 자신 분야 눈 뜨는 시기 (70%)

아기 눈 뜨는 시기 (아무 노력 없이 본능적인 행동)		방탄동기부여 전문가 (시행착오, 대가 지불, 인고의 시간)	
2 ~ 3일	탄생	강사 시작	강사 직업 10%만 알고 시작(웃음치료사)
사람이나 물건의 움직임을 느끼고 구별	1개월	1년	웃음치료 강사
서서히 눈 초점을 맞추기 시작	2~3개월	3년	FUN강사+일반 강의 강사 (강사 직업 눈을 뜬 시기)
색깔을 구별 엄마, 아빠 눈동자 맞춤	3~4개월	10년	전문 동기부여, 자기계발, 리더십 강사
성인과 동일한 시력	5~6살	15년	자기계발, 동기부여 책 100권 출간, 동기부여 일타강사

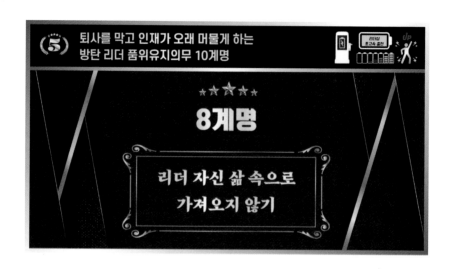

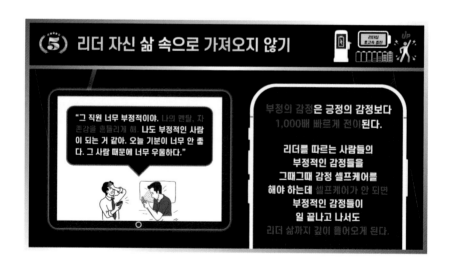

리더는
자신 감정컨트롤 케어하고
자신을 따르는 사람들의
부정의 감정까지 케어
해주기 위해서
감정컨트롤 학습, 연습, 훈련을
꾸준히 해야 한다.

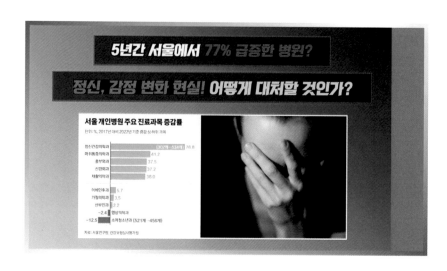

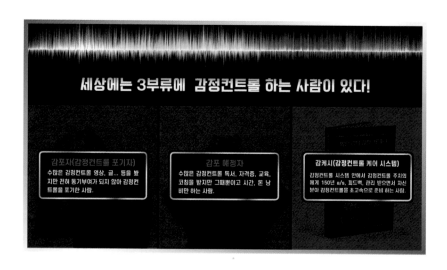

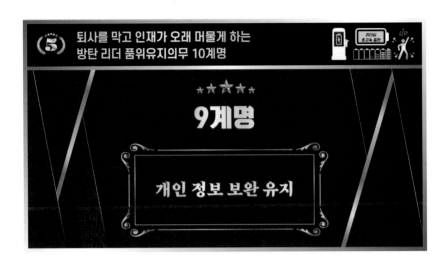

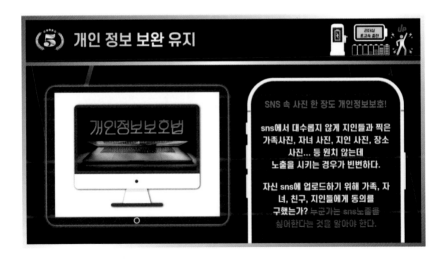

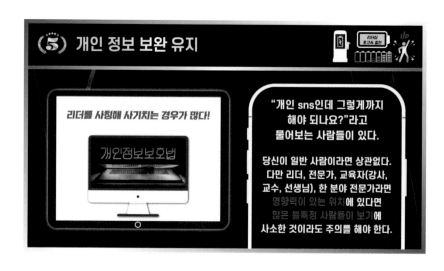

⑤ 개인 정보 보완 유지

리더를 사칭해 사기치는 경우가 많다!

개인정보보호법

"개인 sns인데 그렇게까지
해야 되나요?"라고
물어보는 사람들이 있다.

당신이 일반 사람이라면 상관없다.
다만 리더, 전문가, 교육자(강사,
교수, 선생님), 한 분야 전문가라면
영향력이 있는 위치에 있다면
많은 불특정 사람들이 보기에
사소한 것이라도 주의를 해야 한다.

물고기를 잡는 시간 (리더 업무 시간) 도 낚시 (리더십) 고
물고기를 잡지 않는 시간 (SNS 속 시간) 도 낚시 (리더십) 다.

과정 속에서 사소한 모든 것들이 누적이 되어 결과가 만들어진다.
시간 낭비는 없다. 시간을 낭비하는 자신의 게으름만 있다.

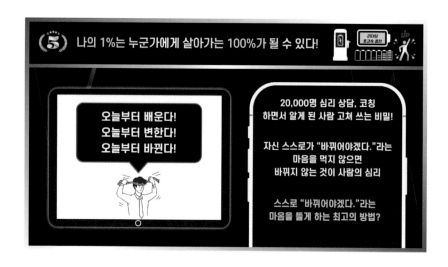

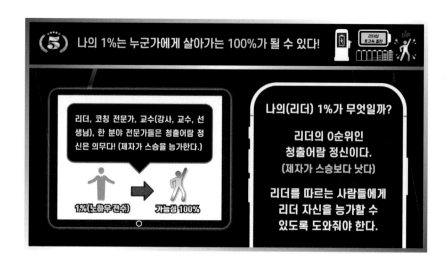

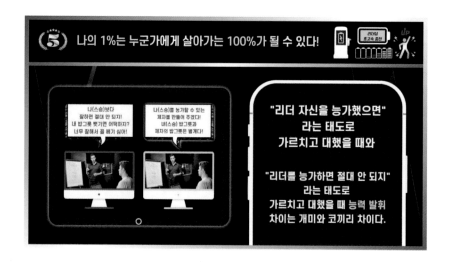

노면 색깔 유도선 만든 계기?

2011년 3월경에 안산 분기점에서 승용차와 화물차가 급차선 변경(위빙 weaving 현상)으로 인해 부딪힌 사고 화물차 운전자 사망

지사장님이 "초등학생도 알 수 있는 대책을 만들어 와라" 방법을 고민하는 중 저에 아들이 색연필로 그림을 그리는 것을 보고 "도로 위에다가 색칠을 하자!" 아이디어가 떠올랐다.

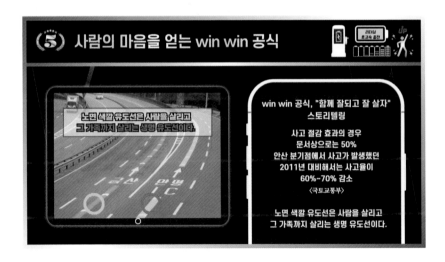

win win 공식, "함께 잘되고 잘 살자" 스토리텔링

사고 절감 효과의 경우 문서상으로는 50% 안산 분기점에서 사고가 발생했던 2011년 대비해서는 사고율이 60%-70% 감소
〈국토교통부〉

노면 색깔 유도선은 사람을 살리고 그 가족까지 살리는 생명 유도선이다.

▶ 스토리텔링 전체 내용!

발명왕 보고 있나? 원조 발명왕은 나야 나! 노면 색깔
유도선 개발자 윤석덕 차장

안녕하세요. 차장님! 간단한 자기소개 부탁드립니다.
안녕하십니까! 도로 위의 스티브 잡스, 노면 색깔 유도
선의 아버지 윤석덕 차장 인사드리겠습니다. 올해로 한
국도로공사 입사 24년 차이고요. 지금은 안성 용인 건
설 사업단의 설계 차장입니다.

노면 색깔 유도선이란 무엇인가요?

노면 색깔 유도선이란 도로에서 색상으로 차량을 유도하는 장치입니다. 우회전 시에는 분홍색 선을, 좌회전 시에는 초록색 선을 따라가시면 됩니다. 목적지가 다른 차량이 도로 위에서 서로 마찰 없이 운전할 수 있도록 도와주는 시스템이 바로 노면 색깔 유도선입니다.

노면 색깔 유도선을 만든 계기는 무엇인가요?
2011년 3월경에 안산 분기점에서 교통사고가 났습니다. 승용차와 화물차가 급차선 변경(위빙 weaving 현상)으로 인해 부딪힌 사고였는데요. 승용차 운전자분께서는 무사하셨지만 화물차 운전자분께서는 강성 벽체에 부딪혀서 사망하셨습니다.
이 사건이 발생하자 지사장님께서 "초등학생도 알 수 있는 대책을 만들어 와라"라고 요청하셨고요. '초등학생도 알 수 있는' 방법이 무엇일까를 고민하다가 귀가했는데, 자식들이 그림을 그리고 있었죠. 그걸 딱 보는 순간 '도로 위에다가 색칠을 하자!'라는 아이디어가 떠올랐습니다.

노면 색깔 유도선을 그린 후 사고 절감 효과가 있었나요?
사고 절감 효과의 경우 문서상으로는 50%에 달하고요. 2020년 현재는 2017년 대비 사고 비율이 23% 감소했다고 하더라고요. 안산 분기점에서 사고가 발생했던 2011년 대비해서는 사고율이 60%~70% 정도 감소하지 않았을까? 하고 생각하고 있습니다.

노면 색깔 유도선을 만들 때 우여곡절이 많았다고 하셨는데요. 교통전문가분들은 이런 이야기를 하셨어요. '법적으로 정해지지 않은 색을 당신이 색칠했어요. 그로 인해서 발생한 사고 그리고 그로 인해 발생한 물적 피해에 대해서는 당신이 다 보상해야 할지도 모릅니다. 나라면 안 하는 게 나을 것 같습니다.'

그 이야기를 듣고서 완전히 좌절을 했죠. 그런데도 이렇게 색깔 유도선을 설치하면 교통사고가 감소하리라는 사실이 명확한데, 설치해야 한다는 생각이 들었습니다. 그리고 안산 분기점에서 교통사고 사망자분을 제가 구하지 못했다는 스스로에 대한 자괴감도 있었고요.

그래서 인천경찰청 11지구대 임병훈 경사님에게 전화를 드렸습니다. 노면에 색깔을 좀 칠하고자 한다고 말씀을 드렸어요. '여기도 안된다고 그러면, 할 수가 없겠구나'라는 생각도 있었죠. 그런데 임 경사님께서 "와 정말 좋은 생각이다. 우리가 검토해서 승인을 해보자!"라고 답변 주셨습니다.

경찰청의 도움을 받아 2011년 5월 3일, 색깔 유도선을 처음 칠할 때 노심초사했죠. 민원도 많았고요. 왜 도로를 막고 이상한 칠을 하느냐고요. 그래서 저는 죄송하다고 계속 사과를 했던 기억이 나네요.

노면 색깔 유도선을 만든 후 아쉬움이 있으시다면?
유도선의 색깔에는 각각 의미가 있습니다. 그런데 이 두 색깔의 용도를 뒤바꿔서 칠할 경우에 문제가 생기거든요. 저는 우회전을 해야 하니까 분홍색을 따라갔는데 엉뚱한 목적지로 가게 된다면 운전자는 화가 나겠죠.
이렇게 규정된 색깔을 쓰게끔 노면 색깔 유도선 설치 관리 설명서가 있는데도 불구하고 지켜지지 않는 경우가 간혹 있어서 아쉽습니다.

더불어 제가 처음 칠한 초록색과 분홍색 외에 다른 색의 유도선을 넣게 되면 운전자들에게 혼동만 줄 거라고 생각합니다. 현장에 계신 분들께서는 조금 번거로우시더라도 국토부에서 만든 설치 관리 매뉴얼을 준수해셨으면 좋겠습니다.

<국토교통부>

사람의 마음을 움직이는 기술

저는 런던 동쪽에 사는 가난한 벽돌공의 아들로 태어나 벽돌 나르는 일을 해왔습니다.

매일같이 벽돌로 나르는 생활이 죽을 만큼 하기 싫었지만 벗어날 길이 없었죠. 만약 당신도 런던 동쪽에 살고 있었다면 아마 이런 이야기를 듣고 살았을 겁니다.

"부자가 되고 싶다고? 꿈도 꾸지마. 그건 다른 사람들이 사는 방식이지 우린 평생 그런 삶을 살 수 없어."

지금 생각해보면 인생은 그렇게 한계를 지을 필요가 없었죠. 스스로 한계를 만드는 것은 세상에서 가장 멍청한 짓입니다. 전 제 한계를 벗어나겠다고 결심한 뒤로 지금의 스티브 심스가 될 수 있었죠.

제가 하는 모든 비즈니스의 핵심과 성공 비결은 단순합니다. 그저 사람에 집중하는 것이죠. 고객이 무엇에 열광하는지 그들에게 무엇이 중요한지 들어봐야 합니다. 질문만으로도 당신의 고객이 진정 원하는 것을 알아낼 수 있죠. 이는 윈-윈 할 수 있는 길을 찾아내는 가장 쉬운 방법입니다. 한번은 이탈리아의 근사한 호텔에 묵은 적이 있었습니다. 룸서비스를 주문하자 담당자가 칵테일 메뉴판을 방으로 가져다주더군요. 그런데 메뉴판 뒷면에 그 호텔에서만 갖고 있는 칵테일 제조 방법이 소개되어 있었습니다.

그래서 데스크로 내려가 물었죠. "혹시 칵테일 메뉴판을

반을 수 있을까요?" 직원은 "몇 개가 필요하신가요?"라고 물었고, 저는 500개라고 대답했습니다. 상식적으로 말도 안 되는 요구였기에 직원은 재고가 많지 않다며 저의 주문을 거절하였죠. 여기까지는 누구나 충분히 상상할 수 있는 반응입니다.

하지만 저는 매니저를 불러 이렇게 말했습니다. "이곳 칵테일 메뉴와 레시피에 깊은 인상을 받았습니다. 제 고객 500분에게 이 메뉴를 한 부씩 보내드리고 싶은데요. 메뉴판에는 이 호텔 이름이 그대로 명시돼 있을 것이고 발송은 제가 다 책임질 겁니다. 호텔에서는 아무것도 하실 필요가 없습니다. 이 일을 성사시키려면 어떻게 하면 됩니까?" 아마 매니저는 손님으로부터 말도 안 되는 부탁이나 듣고 있다는 기분을 느끼는 대신 500명의 영향력 있는 사람들에게 공짜로 광고를 하게 되었으니 오히려 자신의 능력을 발휘할 기회라고 생각했을 겁니다. 그리고 저는 제 고객들에게 기분 좋은 깜짝 선물을 할 수 있었죠. 당신이 원하는 일을 해야 할 타당한 이유를 설명할 수만 있다면 즉, 당신에게 도움이 되는 것만큼 상대방에게도 도움이 될 거라고 말할 수 있다면 그것이 바로 윈-윈입니다.

이러한 정신과 자신감 있는 태도로 협상에 들어간다면 대부분 놀라울 정도로 좋은 결과를 얻을 수 있습니다.

제가 비즈니스에 있어 세운 원칙이 있다면 언제 어떤

상황이든 관련된 모든 사람들에게 득이 되도록 만드는 것입니다. 현재 저에 성공이 그 고민의 결과입니다. 사람의 마음을 움직일 수만 있다면 그만큼 엄청난 기회를 얻을 수 있으니까요. 당신은 사람의 마음을 움직일 수 있습니까?

　《사람의 마음을 움직이는 힘》 〈유튜브 스터디언〉

서태평양 사이판섬 북부 마피산(山)에
있는 만세절벽(자살절벽)있다.

리더의 상담, 코칭 능력이
중요한 이유 스토리텔링!

서태평양 사이판섬 북부 마피산(山)에
있는 만세절벽(자살절벽)이 있다.

1944년 7월 7일, 일본군은
자살 공격으로 전멸당하고, 미군의 제지에
도 불구하고 노인과 부녀자 1,000여 명이
80m 높이의 절벽에서
몸을 날려 자살한 곳이다.

그들이 모두 '덴노헤이카 반자이(천황폐
하만세)'를 외치며 죽었다는 데서
붙여진 이름이다.

서태평양 사이판섬 북부 마피산(山)에
있는 만세절벽(자살절벽)있다.

리더의 상담, 코칭 능력이
중요한 이유 스토리텔링!

다음은
JTBC 드라마에서 나오는
<나의 해방일지> 대사다.

TV에서 봤는데, 미국에 유명한
자살 절벽이 있다 근데 거기서
떨어져서 죽지 않고 살아남은
사람들 인터뷰를 했는데
하나같이 하는 말이...

▶ 스토리텔링 전체 내용!

만세절벽!(자살절벽) 서태평양 사이판섬 북부 마피산(山)
에 있는 만세절벽(자살절벽)이 있다.

제2차 세계대전 때 마피산까지 후퇴한 일본군과 민간인
은 항복을 권하는 미군의 방송을 무시하고 이 절벽에서
전원 자살하였다.

현재는 꼭대기에 평화 기념공원이 조성되었고, 그 안쪽
에는 그들의 넋을 추모하는 기념비가 세워져 있다.

1944년 7월 7일, 일본군은 자살 공격으로 전멸당하고,
미군의 제지에도 불구하고 노인과 부녀자 1,000여 명이
80m 높이의 절벽에서 몸을 날려 자살한 곳이다.

그들이 모두 '덴노헤이카 반자이(천황폐하만세)'를 외치며 죽었다는 데서 붙여진 이름이다.

<네이버 지식백과>

JTBC 드라마에서 나오는 <나의 해방일지> 대사다. TV에서 봤는데, 미국에 유명한 자살 절벽이 있대 근데 거기서 떨어져서 죽지 않고 살아남은 사람들 인터뷰를 했는데 하나같이 하는 말이...3분의 2지점까지 떨어지면, 죽고 싶게 괴로웠던 그 일이, 아무것도 아니었다고 느낀 데 몇 초 전까지만 해도, 죽지 않고 서는 끝나지 않을 것 같아서 발을 뗐는데, 몇 초 만에, 그게, 아무것도 아니었다고 느낀 데. 사는 걸 너무너무 괴로워하는 사람한테 1:1 상담은 절벽에서 떨어지지 않고, 3분의 2지점까지 미리 가보는 거다.

리더, 코칭 전문가, 교육자(강사, 교수, 선생님), 한 분야 전문가라면 조직체 원들, 학습자, 코칭 받는 사람의 인생 3분의 2지점까지 미리 볼 수 있게 해줘야 한다. 리더, 코칭 전문가, 교육자(강사, 교수, 선생님), 한 분야 전문가도 코칭으로 자신, 자신 분야 가능성이 없다고 하는 사람들에게 자신, 자신 분야 가능성 3분의 2를 미리 느낄 수 있게 하여 자신, 자신 분야 가능성을 폭발시켜 줄 수 있는 코칭 전문가가 되어줘야 한다.

자신의 코칭으로 자신, 자신 분야 잘 되는 모습을 미리 보게 해 줄 수 있는 코칭 전문가가 되어줘야 한다. 그뿐만 아니라 나다운 인생을 살아갈 수 있는 모습을 미리 보게 해 줄 수 있는 코칭 전문가가 되어줘야 한다.

자신의 코칭으로 "당신은 제가 좋은 사람이 되고 싶도록 만들어요."라는 말을 들을 수 있는 모습을 미리 보게 해 줄 수 있는 코칭 전문가가 되어줘야 한다.

《리더 코칭 PT 11》

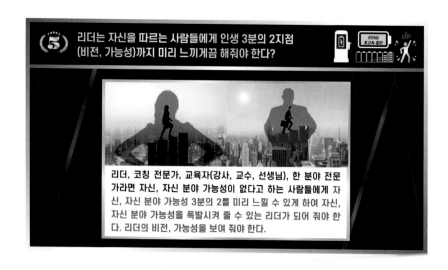

⑤ 리더는 자신을 따르는 사람들에게 인생 3분의 2지점 (비전, 가능성)까지 미리 느끼게끔 해줘야 한다?

리더, 코칭 전문가, 교육자(강사, 교수, 선생님), 한 분야 전문가라면 자신, 자신 분야 가능성이 없다고 하는 사람들에게 자신, 자신 분야 가능성 3분의 2를 미리 느낄 수 있게 하여 자신, 자신 분야 가능성을 폭발시켜 줄 수 있는 리더가 되어 줘야 한다. 리더의 비전, 가능성을 보여 줘야 한다.

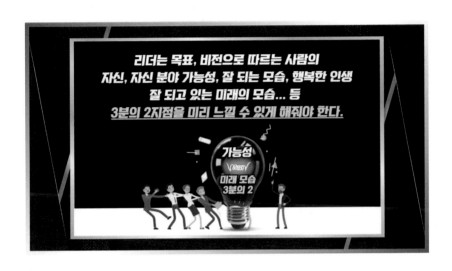

1조 리더십 강의

**리더는 누구나 되지만
방탄 리더는 아무나 될 수 없다!**

**3고 시대!
한 분야 전문성으로는
힘든 시대!
이제는
포트폴리오 커리어 시대!**

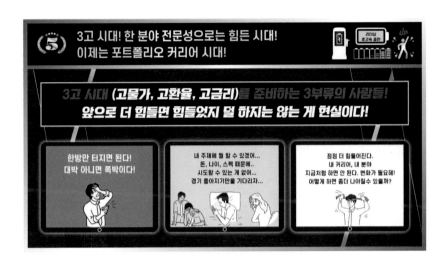

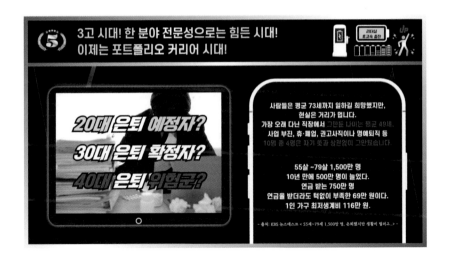

- 출처 <유튜브 터닝포인트 - 위대한 성공의 시작점>

▶ 영상 전체 내용!

[앵커]

'나는 언제까지 일할 수 있을까' 한 업체가 조사해봤더니 직장인이 기대하는 정년은 평균 49.7세였습니다. 평균수명은 길어지는데, 직장에서 50세까지도 버티지 못할거라고 생각한다는 거죠..

류주현 기자입니다.

[리포트]

취업한 지 얼마 안 된 20~30대 직장인들. 이들이 예상

하는 퇴직 연령은 몇 살일까요?

최우수 / 20대 직장인
"회사 생활은 한 45세에서 50세 사이 안에는 끝날 것 같은데…"

노주영 / 30대 직장인
"더 낮아질 것으로 예상하고요. 코로나 불황 속에 직업에 대한 미래가 불투명하기 때문에…"

한 온라인 취업포털 사이트 조사 결과, 직장인들이 기대하는 정년은 평균 49.7세였습니다.

특히 젊은 연령층에서 50세 이전 퇴직을 예상했습니다. 30대가 평균 48.6세로 가장 낮았고, 20대도 평균 49.5세에 회사를 나갈 거라고 전망했습니다.

40대 이상은 50세는 넘길 거로 예상했지만, 50대 초반에 그쳤습니다.

4년 전 조사와 비교하면 예상 퇴직 연령은 1.2세 더 낮아지면서 40대까지 떨어진 겁니다.

그러다보니 퇴직 이후에도 일하고 싶은 마음은 더 커졌습니다.

서용구 / 숙명여대 경영학부 교수
"베이머부머보다 밀레니얼 세대가 더 가난해진다고들 애

기를 많이 하는데, 안정된 고용시장이 만들어지지 못하는 상황에서 나이가 젊으면 젊을 수록 미래에 대한 불안감은 커지기 때문에…"

이번 조사에서 정년퇴직 이후 필요한 한 달 평균 생활비는 평균 177만원으로 나타났습니다.

<TV조선>

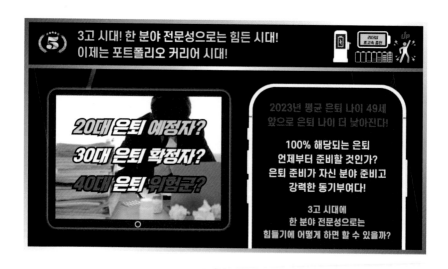

▶ 스토리텔링 전체 내용!

포트폴리오 키리어 시대

'포트폴리오 커리어의 시대'는 세계 최고의 경영사상가 찰스 핸디가 이미 오래전에 예측한 바 있다. 그는 포트폴리오 커리어의 시대에는 대부분의 생활이 일에 포함된다고 본다.

2가지 또는 그 이상의 영역에서 일을 하는 사람들이 늘어나는 현상에 따른 것이다.

'멀티-커리어리즘' (Multi-careerism)과도 연결된다. 이런 포트폴리오 커리어는 하나의 직무만으로 평생 먹고 살기가 힘들어진다. 그런 미래가 우리 앞에 이미 현실화

되었음을 시사한다.

이광호의 《아이에게 동사형 꿈을 꾸게 하라》 중에서

* 하나의 일, 하나의 직업으로

살아가는 시대는 지났습니다. 모든 것이

일이 되고 모든 일이 직업이 되는 시대를 맞고 있습니다. 여러 일을 동시에 할 수 있는 '멀티 플레이어'가 되어야 살아남을 수 있습니다. 이런 시대에 요구되는 가장 중요한 것은 자기 관리, 자기 준비입니다. 새로운 기술과 지식, 유연한 사고와 창의적 발상으로 언제든 능숙하게 대응해야 합니다. 포트폴리오 커리어 시대입니다.

(2020년 8월 11일 앙코르메일)

〈고도원의 아침편지〉

포트폴리오 커리어 시대를 준비하자

우리가 살아가는 세상은 커리어 세상이다. 그리고 현대 사회는 포트폴리오 커리어 시대이다.

우리는 예전에 "한 우물을 파야 된다"는 어르신들의 말씀을 듣고 살았다. 즉, 단일경로 시대인 커리어 패스 시대 였다. 마치 사다리를 오르듯 한 단계씩 더 큰 책임과 승진으로 가는 모습이었다.

이에 반해 요즘은 포트폴리오 커리어 시대다.

포트폴리오 커리어란 다양한 자신의 역량과 경험을 횡으로 개발하고 펼쳐놓아 어떤 커리어가 필요할 때 이들을 유연하게 조합하는 것을 의미한다. 세상이 바뀌어서 정보시대이고 그러고는 세상이 눈 깜빡할 사이에 많은 것이 변하고 있다.

그래서 한 가지 직업으로는 살아남기가 무척 어렵기에 자신의 다양한 포트폴리오를 활용하여 변화하는 상황과 필요로 하는 직업에 유연하게 대응하는 것이다.

과거는 대개 한 두 회사에서 퇴직까지 근무하거나 회사를 옮겨도 한 업종 안에서 왔다 갔다 할 뿐이었다. 이에 커리어 패스가 중요했다. 한 두 회사에서의 커리어 패스란 사실상 승진이라는 단일경로 외에는 대안이 없다.

이에 대부분의 교육과 역량개발은 승진의 단계마다 초점이 맞추어졌다. 그러나 인간의 수명이 점점 길어져 100세 시대가 되었다. 그리고 하나의 일, 하나의 직업으로 살아가는 시대는 지났다. 모든 것이 일이 되고 모든 일이 직업이 되는 시대를 맞고 있다. 여러 일을 동시에 할 수 있는 '멀티 플레이어'가 되어야 살아남을 수 있다.

이런 시대에 요구되는 가장 중요한 것은 자기 관리, 자기 준비이다. 새로운 기술과 지식, 유연한 사고와 창의적 발상으로 언제든 능숙하게 대응해야 한다. 기업도 생존주기는 점점 짧아져 간다. 젊은 세대들은 과거와 달리 한 회사에 평생 머물기를 원하지 않는다. 이제 몇 번의 동종업계 이직뿐 아니라 전혀 새로운 커리어 도전도 하게 될 것이다.

직장생활을 하는 직장인들도 야간이나 주말을 활용하여 자신의 또 다른 부캐를 이용하여 유튜브 등의 콘텐츠를 생성하고 투자활동도 한다. 기업 또한 빠르고 예측 불가능한 환경변화, 디지털 전환에 따른 기회와 위협에 대응하기 위해 인재관을 새롭게 정립하고 있다.

이런 시대는 어떤 인재가 필요할까?
미래의 인재들은 과거와 달리 박스나 사일로에 갇혀 있거나 특정 비즈니스만을 잘하는 사람들보다는 이를 넘어 사고를 확장할 수 있고 다양한 경험과 유연성을 갖춘 사람일 가능성이 높다. 그러므로 앞으로는 포트폴리오 커리어가 더 중요해질 것이라는 주장이다. 포트폴리오 커리어를 구축하기 위해 노력하는 사람들은 현재의 직업에 머물지 않는다.

호기심을 가지고 다양한 경험을 해본다. 다양한 기술들을 습득한다. 또한 습득한 다양한 기술과 직무에 필요한 기술을 창의적으로 연결하는데 숙련되어 있다. 이에 새로운 기회를 위해 자신을 홍보하고 심지어 만들 수 있는 준비가 더 잘 되어 있는 것이다. 전문가들은 산업혁명이 시작된 이래 유지되어오던 '일자리 시대'가 산업혁명 이전의 '일거리 시대'로 다시 회귀하는 추세라고 말한다.

유엔미래포럼 한국대표인 박영숙의 저서 '메이커의 시대(미래 일자리)'라는 유엔보고서 책자에서 "2030년대 즈음에 일자리의 시대에서 일거리의 시대로 바뀐다"라고 말한다.
혹시 개인적으로 부담이 된다면, '일거리'를 '일자리로 가기 위한 경험을 부여해줄 징검다리 활동'으로 보면 좋다.

따라서 오랫동안 일하면서 비교적 높은 보수를 받았던 안정된 형태의 '주된 일자리'에서 벗어난 이후에도 재취업 등을 통해서 일해야 할 필요성이 있는 신중년들은 이제 기존에 유연하지 않은 생각에서 벗어나 세상의 변화에 따르는 방법론도 좋은데 그 중 하나가 바로 '포트폴리오 커리어'이다. 또한, 자신이 직장인들이라면 빈 백지 하나를 꺼내서 자신의 포트폴리오 커리어를 하나씩 원으로 표시해보자.

지금까지 내가 경험한 것이 무엇일까? 내가 잘하는 것은 무엇일까? 두 번째, 이들을 연결해보라. 이들을 연결함으로써 어떤 새로운 가능성을 만들 수 있을까? 마지막으로는 여기에 추가하고 싶은 포트폴리오가 무엇인지 더해보라. 어댑터블하고 유연한 포트폴리오 커리어를 구성해 나가보라. 이것이 예측이 어려운 미래를 효과적으로 대응하는 방법이 될 것이다.

인생 1막을 마치고 난 이후에도 안정된 일자리에서 일하고픈 인간의 욕구는 당연하지만, 베이비붐 세대의 본격적인 퇴직이 시작되는 현시점의 높은 재취업 경쟁률 속에서 이전과 달리 질적이고도, 안정된 일자리를 찾기는 점점 어려워진다.

아래 변화의 시간이 빨라진 현시점에서 여러 가지 장애물을 넘어야만 하는 재취업보다는 '혼자 하는 일', 혹은 여러 개의 '파트타임 일'을 묶어서 동시에 해보라고 조언한다. 이전과 달리 장기간의 고용을 제공하는 일자리는 점점 줄어들기 때문이다. 특히 안정된 일자리만 희망하면서 장기간에 걸친 구직기간을 허비할 수 없는 처지

라면 평소에 생각하지 않던 ’파트타임 일‘ 등에 관심을
가져보면 어떨까? - 강성남 칼럼위원(담양문화원장)-
<담양뉴스>

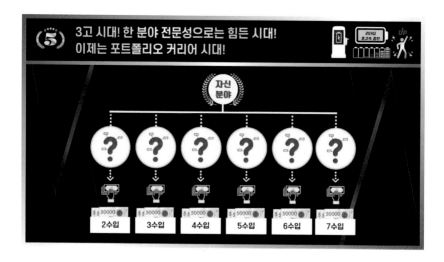

선생님은 좋은 의사입니까? 최고의 의사입니까? 지금 여기 누워있는 환자에게 물어보면 어떤 쪽 의사를 원한다고 할 거 같냐? 최고의 의사요? 아니! 필요한 의사다~~!!

지금 이 환자에게 절실히 필요한 것은 골절을 치료해줄 의사야. 그래서 나는 내가 아는 모든 걸 총동원해서 이 환자에게 필요한 의사가 되려고 노력 중이다.

답이 됐냐? 네가 시스템을 탓하고 세상을 탓하고 그런 세상 만든 꼰대 탓하는 거 다 좋아. 좋은데...그렇게 남 탓해봐야 세상 바뀌는 건 아무것도 없어. 그래봤자 그 사람들 네 이름 석 자도 기억하지 못할 걸. 정말로 이기고 싶으면 필요한 사람이 되면 돼. 남 탓 그만하고 네 실력으로 네가 바뀌지 않으면 아무것도 바뀌지 않는다.

<SBS 드라마 낭만닥터 김사부>

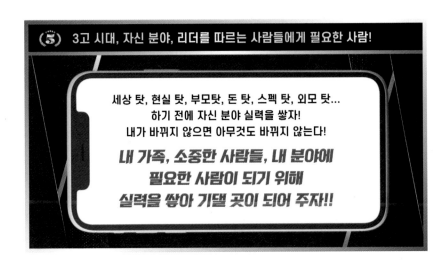

세상 탓, 현실 탓, 부모탓, 돈 탓, 스펙 탓, 외모 탓...
하기 전에 자신 분야 실력을 쌓자!
내가 바뀌지 않으면 아무것도 바뀌지 않는다!

**내 가족, 소중한 사람들, 내 분야에
필요한 사람이 되기 위해
실력을 쌓아 기댈 곳이 되어 주자!!**

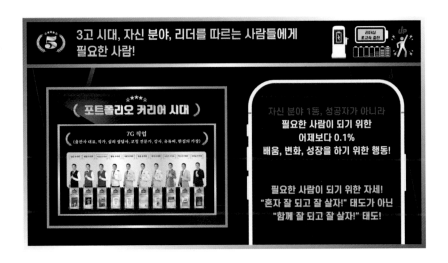

(포트폴리오 커리어 시대)

7G 직업
(출판사 대표, 작가, 심리 상담사, 코칭 전문가, 강사, 유튜버, 한집의 가장)

자신 분야 1등, 성공자가 아니라
**필요한 사람이 되기 위한
어제보다 0.1%**
배움, 변화, 성장을 하기 위한 행동!

필요한 사람이 되기 위한 자세!
"혼자 잘 되고 잘 살자!" 태도가 아닌
"함께 잘 되고 잘 살자!" 태도!

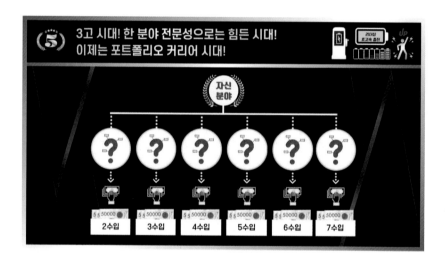

스마트폰 사용하지 않아도
배터리가 소모되듯
리더십 또한 숨만 쉬어도
소모가 된다.
꾸준히 리더십 충전을 해야 한다.

- 최보규 방탄리더십 일타강사 -

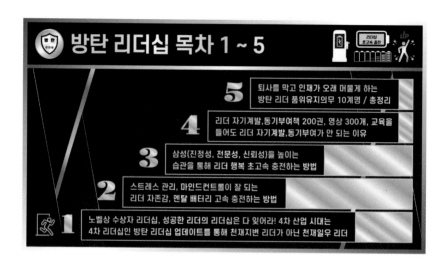

168

스마트폰은 쓰지 않고 가만히 두어도 배터리가 소모되듯
리더십 배터리 또한 숨만 쉬어도 소모가 된다!

리더십 충전만 하면 하루(1일) 가지만
리더십 충전 방법(방탄 리더십)을 알면 100년 간다!

리더십
초고속 충전

UP

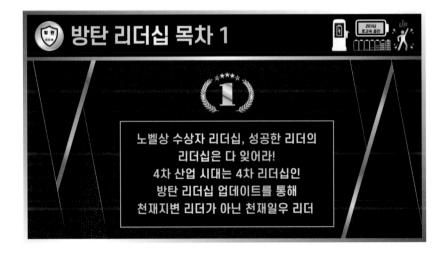

노벨상 수상자 리더십, 성공한 리더의
리더십은 다 잊어라!
4차 산업 시대는 4차 리더십인
방탄 리더십 업데이트를 통해
천재지변 리더가 아닌 천재일우 리더

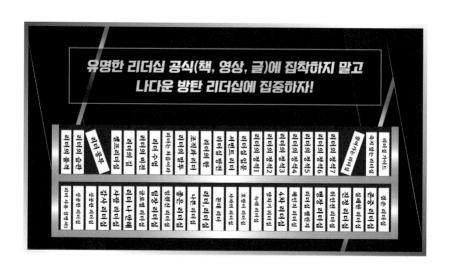

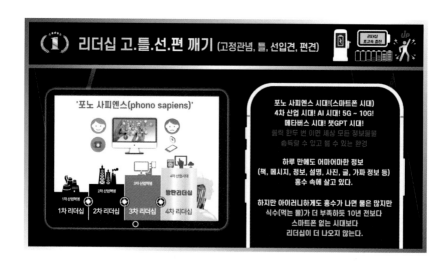

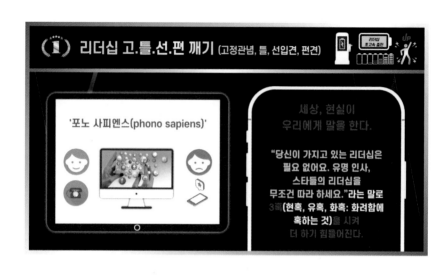

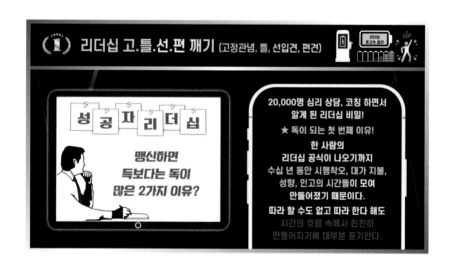

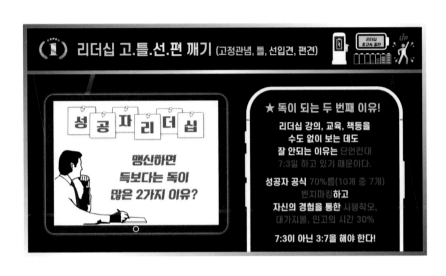

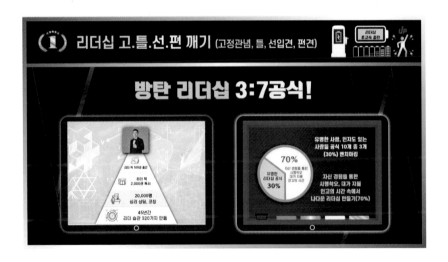

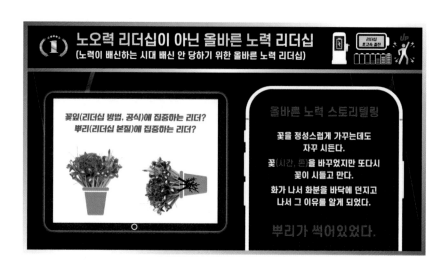

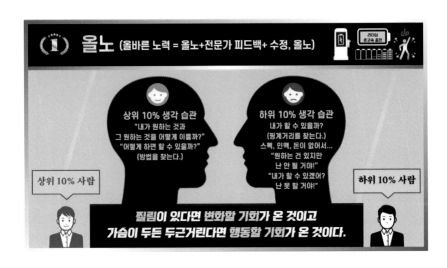

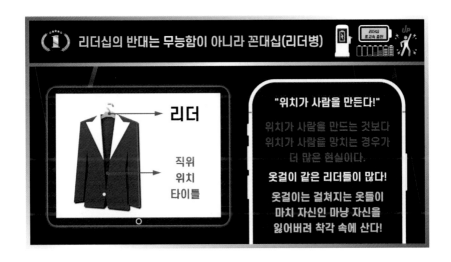

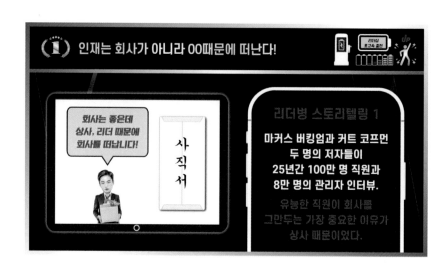

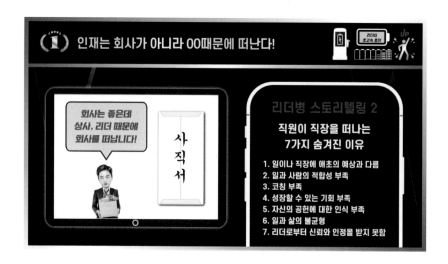

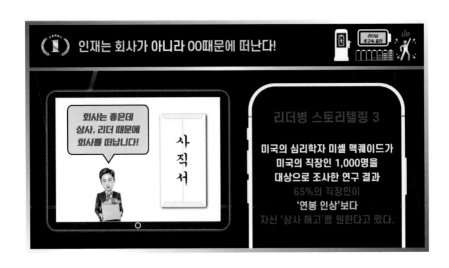

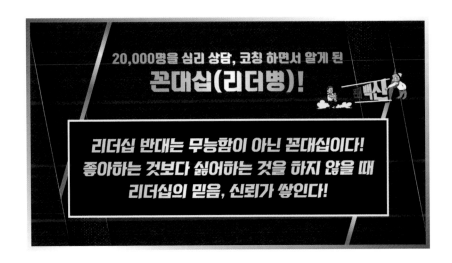

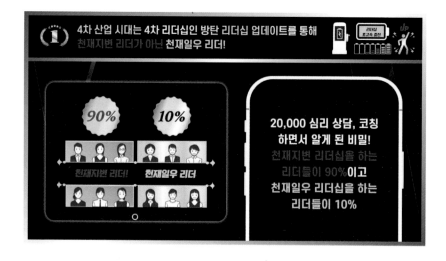

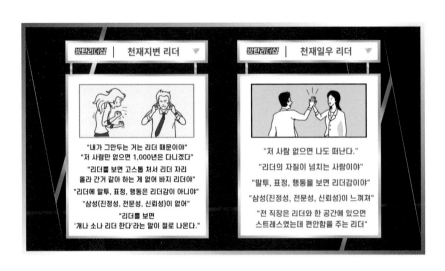

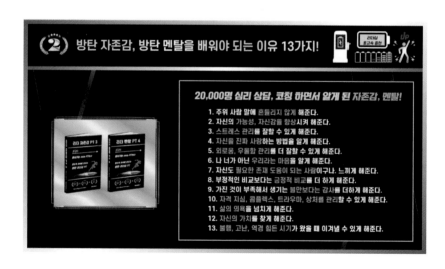

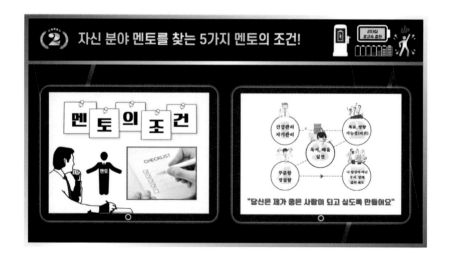

멘토의 중요성은 알겠습니다! 그런데...

멘토 찾기는 어려운 거 같고
누구한테 신세 지기도 싫고
아쉬운 소리 하기도 싫고
시간, 돈이 많이 들거 같고

셀프로 최소의 비용으로 최대 효과를 볼 수 있는
자존감, 멘탈 배터리 충전 방법 없나요?
방법 알려주시면 진짜 열심히 해 보겠습니다!

② 20,000명 심리 상담, 코칭으로 알게 된
셀프 자존감, 멘탈 충전하는 방법!

**자존감, 멘탈 배터리 일반 충전, 고속 충전
습관 320가지 중에 일부분 벤치마킹하자!**

- 8시간 숙면하는 것이 자존감, 멘탈 배터리 일반 충전이다.
- 알람 듣고 바로 일어나는 것이 자존감, 멘탈 배터리 일반 충전이다.
- 기상 직후 양치질하고 물 한 잔 마시는 것이 자존감, 멘탈 배터리 일반 충전이다.
- 유산균, 영양제 먹는 것이 자존감, 멘탈 배터리 일반 충전이다.

- 책 읽어 주는 앱(교보문고 SAM) 실행하는 것이 자존감, 멘탈 배터리 일반 충전이다.
- 전신 스트레칭 10분 하는 것이 자존감, 멘탈 배터리 일반 충전이다.
- 세수하고 로션 바르기 전 자존감, 멘탈, 긍정 스티커 보고 얼굴 스트레칭하는
  것이 자존감, 멘탈 배터리 일반 충전이다.
- 하루 2번 박장대소 15초 하는 것이 자존감, 멘탈 배터리 일반 충전이다.

 20,000명 심리 상담, 코칭으로 알게 된
셀프 자존감, 멘탈 충전하는 방법!

- 현관문 앞에 문구 "보규야! 신발장에 자존심 넣어 두고 나가니?"라는 문구 보고 나오는 것이
  자존감, 멘탈 배터리 일반 충전이다.
- 강의가 있건 없건 무조건 집을 나서는 것이 자존감, 멘탈 배터리 일반 충전이다.
- 강의 2~3시간 전 강의장 근처에 도착해서 책 읽는 것이 자존감, 멘탈 배터리 일반 충전이다.
- 강의 1시간 전 강의 마음가짐을 준비하는 것이 자존감, 멘탈 배터리 일반 충전이다.

- 책 메모한 것을 점심시간 때 지인 450명에게 보내는 것이 자존감, 멘탈 배터리 고속 충전이다.
- 배워서 남 주자는 마인드를 실천하는 것이 자존감, 멘탈 배터리 고속 충전이다.
- 한 달에 책 15권 읽는 것이 자존감, 멘탈 배터리 일반 충전이다.
- 담배, 술, TV, 게임 안 하는 것이 자존감, 멘탈 배터리 일반 충전이다.
- 전신 장기기증(160명에게 새로운 삶을 준다.)하고 건강관리하는 것이 자존감, 멘탈 배터리
  고속 충전이다.

20,000명 심리 상담, 코칭으로 알게 된
셀프 자존감, 멘탈 충전하는 방법!

- 길 가다 전단지 받는 것이 자존감, 멘탈 배터리 고속 충전이다.
 (그분이 1초라도 먼저 집에 갈 수 있기에)
- 쓰레기를 버리지 않는 것이 자존감, 멘탈 배터리 일반 충전이다.
- 사랑의 전화 카운슬러 봉사하는 것이 자존감, 멘탈 배터리 고속 충전이다.
- 사랑의 전화 후원하는 것이 자존감, 멘탈 배터리 고속 충전이다.

- 주말마다 유치부 봉사하는 것이 자존감, 멘탈 배터리 고속 충전이다.
- 지인 강사들 상담해 주는 것이 자존감, 멘탈 배터리 고속 충전이다.
- 물 7잔 마시는 것이 자존감, 멘탈 배터리 일반 충전이다.
- 탄산음료, 주스 줄이는 것이 자존감, 멘탈 배터리 일반 충전이다.
- 자기관리, 긍정의 모든 것이 자존감, 멘탈 배터리 일반 충전이다.

 20,000명 심리 상담, 코칭으로 알게 된
셀프 자존감, 멘탈 충전하는 방법!

- 마트에서 물건 사고 계산할 때 점원이 편하게 바코드를 찍을 수 있도록 구매한 모든 제품 바코드를 보이게 올려놓으니 점원이 하는 말 "마트 10년 동안 고객님 같은 분은 처음이네요. 바코드가 보이게 해줘서 너무 편했습니다. 너무 감사합니다."라는 말에 "별말씀을요." 말해주며 서로가 행복해지는 것이 자존감, 멘탈 배터리 고속 충전이다.

- 편의점 범죄 하루 42건이고 한 해 15,000건이다. 편의점에서 일하시는 분들 고충을 덜어 주기 위해 박카스 사서 주는 것이 자존감, 멘탈 배터리 고속 충전이다.

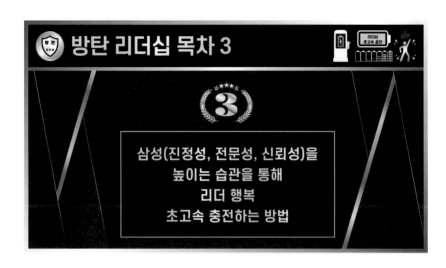

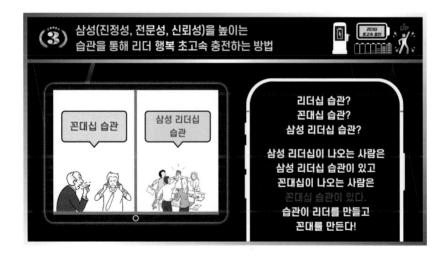

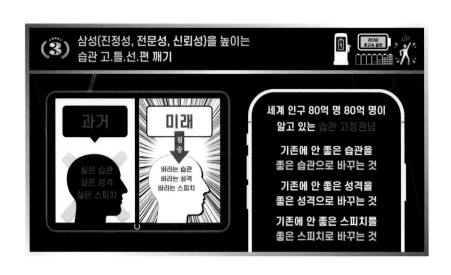

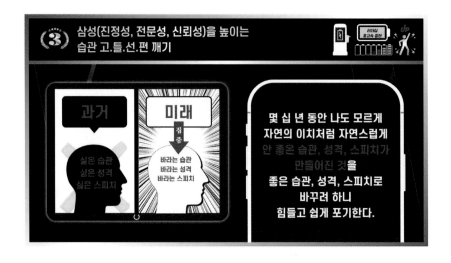

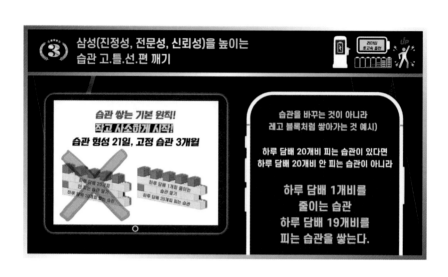

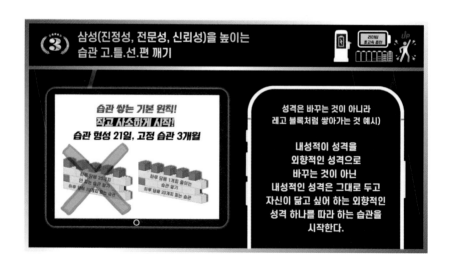

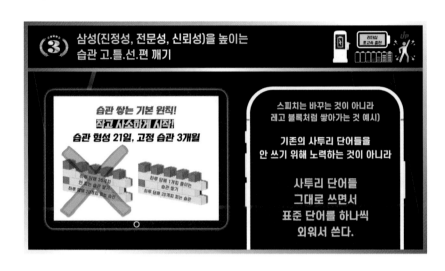

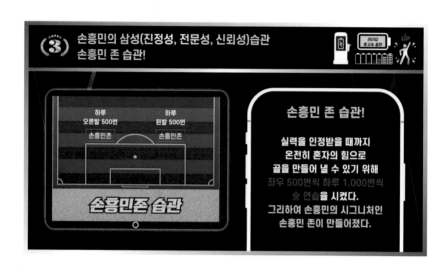

3 손흥민의 삼성(진정성, 전문성, 신뢰성)습관
손흥민 존 습관!

하루
오른발 500번   하루
왼발 500번
손흥민존   손흥민존

손흥민존 습관

손흥민 존 습관!

실력을 인정받을 때까지
온전히 혼자의 힘으로
골을 만들어 낼 수 있기 위해
좌우 500번씩 하루 1,000번씩
숏 연습을 시켰다.
그리하여 손흥민의 시그니처인
손흥민 존이 만들어졌다.

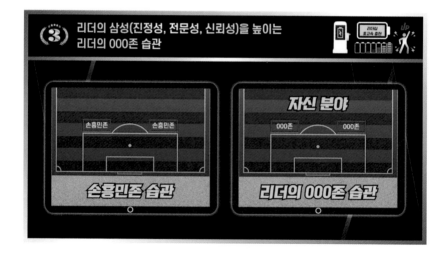

3 리더의 삼성(진정성, 전문성, 신뢰성)을 높이는
리더의 OOO존 습관

손흥민존   손흥민존

손흥민존 습관

자신 분야

OOO존   OOO존

리더의 OOO존 습관

최보규 방탄리더십 창시자의 최보규 존

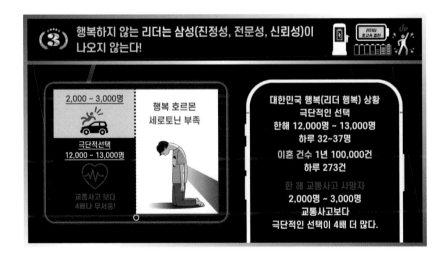

③ 행복하지 않는 리더는 삼성(진정성, 전문성, 신뢰성)이 나오지 않는다!

2,000 ~ 3,000명

극단적선택
12,000 ~ 13,000명

교통사고 보다
4배나 무서움!

행복 호르몬
세로토닌 부족

대한민국 행복(리더 행복) 상황
극단적인 선택
한해 12,000명 ~ 13,000명
하루 32~37명
이혼 건수 1년 100,000건
하루 273건

한 해 교통사고 사망자
2,000명 ~ 3,000명
교통사고보다
극단적인 선택이 4배 더 많다.

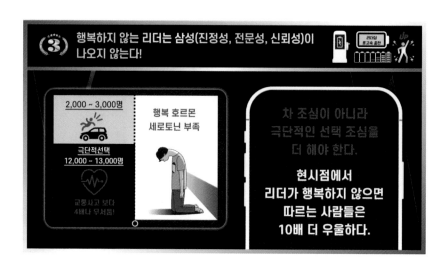

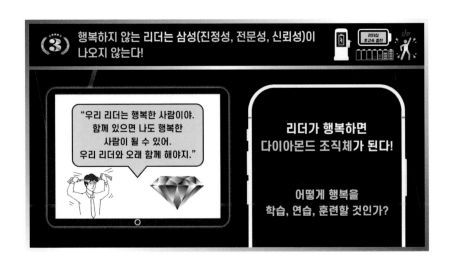

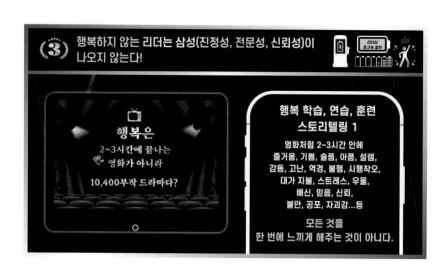

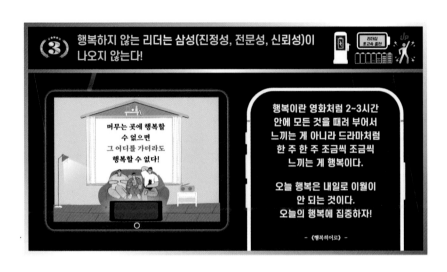

3 행복하지 않는 리더는 삼성(진정성, 전문성, 신뢰성)이 나오지 않는다!

머무는 곳에 행복할 수 없으면 그 어디를 가더라도 행복할 수 없다!

행복이란 영화처럼 2~3시간 안에 모든 것을 때려 부어서 느끼는 게 아니라 드라마처럼 한 주 한 주 조금씩 조금씩 느끼는 게 행복이다.

오늘 행복은 내일로 이월이 안 되는 것이다. 오늘의 행복에 집중하자!

- 《행복히어로》 -

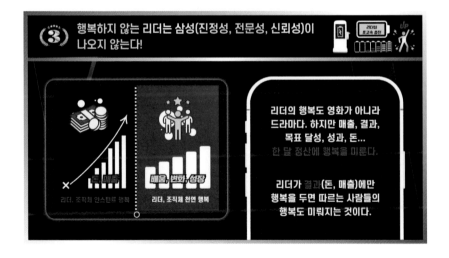

3 행복하지 않는 리더는 삼성(진정성, 전문성, 신뢰성)이 나오지 않는다!

리더, 조직체 인스턴트 행복

리더, 조직체 천연 행복

리더의 행복도 영화가 아니라 드라마다. 하지만 매출, 결과, 목표 달성, 성과, 돈... 한 달 정산에 행복을 미룬다.

리더가 결과(돈, 매출)에만 행복을 두면 따르는 사람들의 행복도 미뤄지는 것이다.

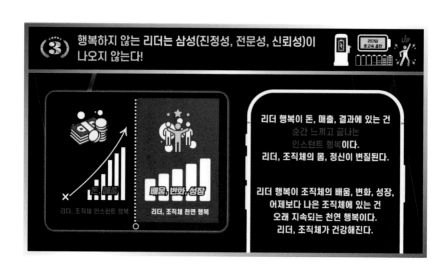

리더 행복이 돈, 매출, 결과에 있는 건
순간 느끼고 끝나는
인스턴트 행복이다.
리더, 조직체의 몸, 정신이 변질된다.

리더 행복이 조직체의 배움, 변화, 성장,
어제보다 나은 조직체에 있는 건
오래 지속되는 천연 행복이다.
리더, 조직체가 건강해진다.

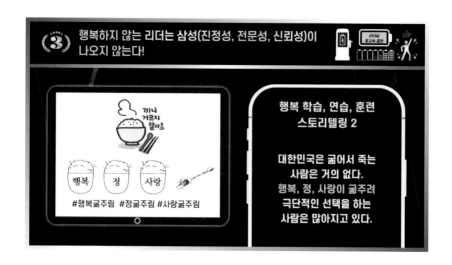

행복 학습, 연습, 훈련
스토리텔링 2

대한민국은 굶어서 죽는
사람은 거의 없다.
행복, 정, 사랑이 굶주려
극단적인 선택을 하는
사람은 많아지고 있다.

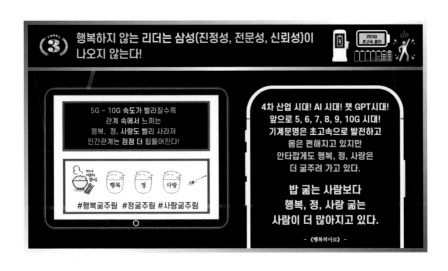

③ 행복하지 않는 리더는 삼성(진정성, 전문성, 신뢰성)이
나오지 않는다!

5G - 10G 속도가 빨라질수록
관계 속에서 느끼는
행복, 정, 사랑도 빨리 사라져
인간관계는 점점 더 힘들어진다!

#행복굶주림 #정굶주림 #사랑굶주림

4차 산업 시대! AI 시대! 챗 GPT시대!
앞으로 5, 6, 7, 8, 9, 10G 시대!
기계문명은 초고속으로 발전하고
몸은 편해지고 있지만
안타깝게도 행복, 정, 사랑은
더 굶주려 가고 있다.

밥 굶는 사람보다
행복, 정, 사랑 굶는
사람이 더 많아지고 있다.

- 《행복히어로》 -

③ 행복하지 않는 리더는 삼성(진정성, 전문성, 신뢰성)이
나오지 않는다!

발전 속도 5G

행복, 정, 사랑 2G

리더 행복, 조직체 행복을 굶주리게
하는 현실 속에서 리더는
리더, 조직체 행복을 보호할 수 있는
행복, 정, 사랑을 느낄 수 있는
시스템을 만들어야 한다.

리더는 행복, 정, 사랑의
굶주리고 있는 조직체를 위해서
사소한 것이라도
신경을 써야 한다.

205

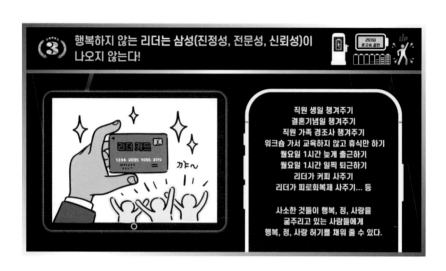

③ 행복하지 않는 리더는 삼성(진정성, 전문성, 신뢰성)이 나오지 않는다!

직원 생일 챙겨주기
결혼기념일 챙겨주기
직원 가족 경조사 챙겨주기
워크숍 가서 교육하지 않고 휴식만 하기
월요일 1시간 늦게 출근하기
월요일 1시간 일찍 퇴근하기
리더가 커피 사주기
리더가 피로회복제 사주기... 등

사소한 것들이 행복, 정, 사랑을
굶주리고 있는 사람들에게
행복, 정, 사랑 허기를 채워 줄 수 있다.

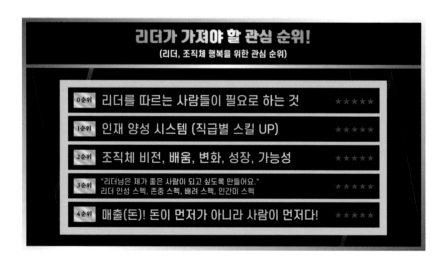

리더가 가져야 할 관심 순위!
(리더, 조직체 행복을 위한 관심 순위)

0순위	리더를 따르는 사람들이 필요로 하는 것	★★★★★
1순위	인재 양성 시스템 (직급별 스킬 UP)	★★★★★
2순위	조직체 비전, 배움, 변화, 성장, 가능성	★★★★★
3순위	"리더님은 제가 좋은 사람이 되고 싶도록 만들어요." 리더 인성 스펙, 존중 스펙, 배려 스펙, 인간미 스펙	★★★★★
4순위	매출(돈)! 돈이 먼저가 아니라 사람이 먼저다!	★★★★★

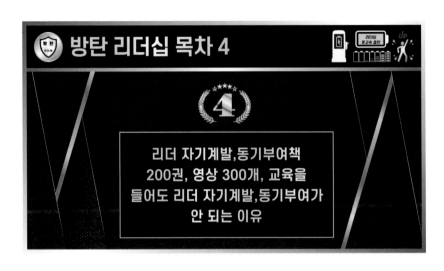

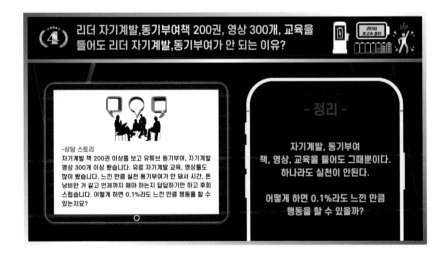

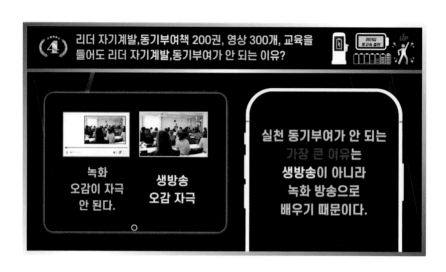

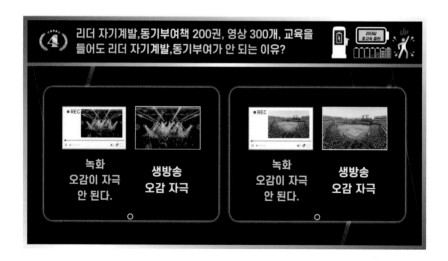

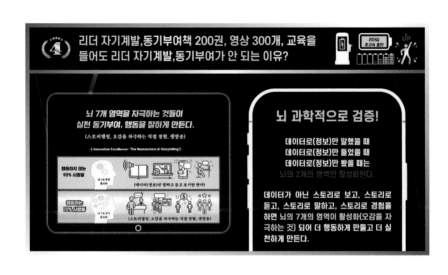

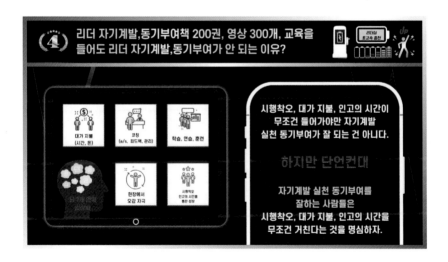

리더 자기계발,동기부여책 200권, 영상 300개, 교육을 들어도 리더 자기계발,동기부여가 안 되는 이유?

듣는 것은 0.1초 후에 사라지고
본 것은 1초 후에 사라지지만
메모하고 직접 해본 것은 100년 간다!

0.1초   1초   100년

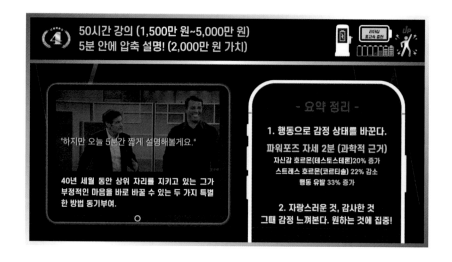

50시간 강의 (1,500만 원~5,000만 원)
5분 안에 압축 설명! (2,000만 원 가치)

"하지만 오늘 5분간 짧게 설명해볼게요."

40년 세월 동안 상위 자리를 지키고 있는 그가 부정적인 마음을 바로 바꿀 수 있는 두 가지 특별한 방법 동기부여.

- 요약 정리 -

1. 행동으로 감정 상태를 바꾼다.
파워포즈 자세 2분 (과학적 근거)
자신감 호르몬(테스토스테론)20% 증가
스트레스 호르몬(코르티솔) 22% 감소
행동 유발 33% 증가

2. 자랑스러운 것, 감사한 것
그때 감정 느껴본다. 원하는 것에 집중!

여기서 잠깐! 1,000명 이면 1,000명이 속으로 생각하는 것?
"우와! 5,000만 원 벌었다. 파워포즈 자세 2분만 하면 되네! 쉽네!"

그런데 듣고, 본 것은 1초면 사라지는데.. 에잇! 강의 시간 끝나면 또 다 잊혀지겠지
파워포즈 자세만 집에서 꾸준히 할 수 있다면 얼마나 좋을까?
어떻게 생활 속에서 실천할 수 있을까?

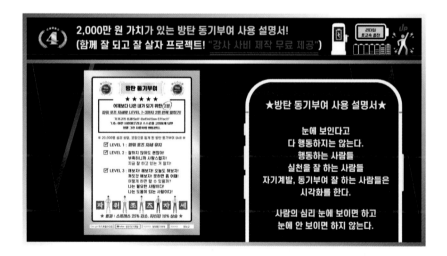

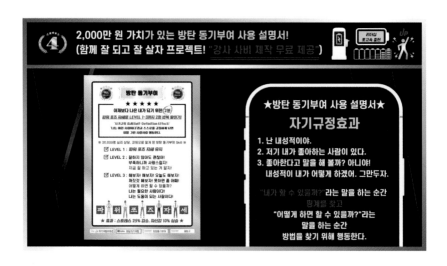

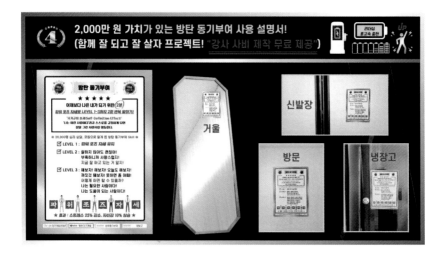

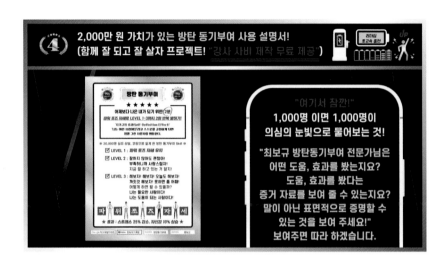

213

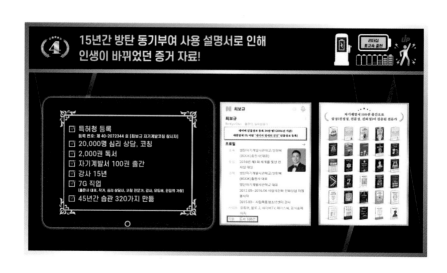

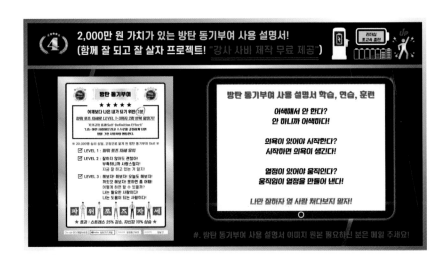

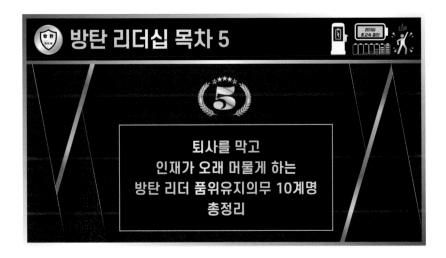

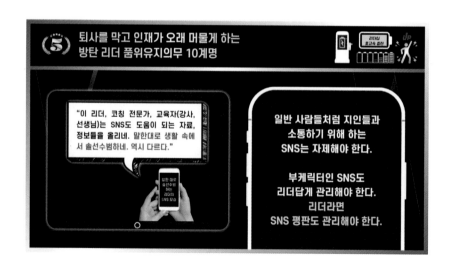

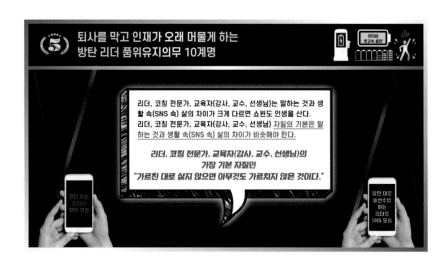

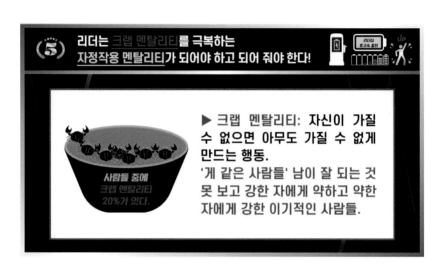

사람들 중에
크랩 멘탈리티
20%가 있다.

▶ 크랩 멘탈리티: 자신이 가질 수 없으면 아무도 가질 수 없게 만드는 행동.
'게 같은 사람들' 남이 잘 되는 것 못 보고 강한 자에게 약하고 약한 자에게 강한 이기적인 사람들.

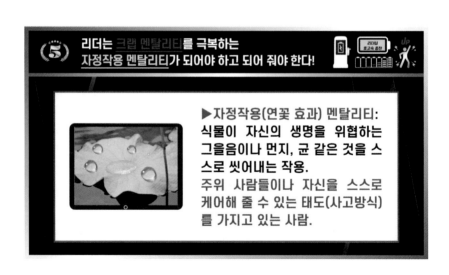

▶자정작용(연꽃 효과) 멘탈리티: 식물이 자신의 생명을 위협하는 그을음이나 먼지, 균 같은 것을 스스로 씻어내는 작용.
주위 사람들이나 자신을 스스로 케어해 줄 수 있는 태도(사고방식)를 가지고 있는 사람.

218

방탄 리더 품위유지의무 10계명

1. 꾸준한 학습 (상담사의 전문적인 지식 이외에도 사람들이 평균적으로 물어보는 상담 스킬 학습)
2. 솔선수범 (공인이라는 마음)
3. 정신건강운동 (직원들의 부정을 긍정으로 밀어내기 위한 노력)
4. 측은지심 갖기 (안쓰러운 마음 안타까운 마음)
5. 답을 주는 방탄리더가 되지 않기 (중간자 입장에서)
6. 경청 (눈, 입, 코, 몸, 귀, 마음, 삶의 자세)
7. 진인사대천명 (7:3 최선을 다해서 상담하고 나머지 상황은 하늘이 한다는 마음)
8. 방탄리더 자신 삶 속으로 가져오지 않기
9. 코칭 내용 보완 유지
10. 나의 1%는 누군가에게 살아가는 100%가 될 수 있다.

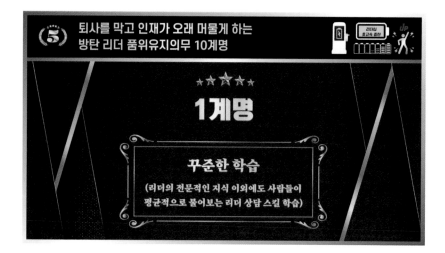

퇴사를 막고 인재가 오래 머물게 하는
방탄 리더 품위유지의무 10계명

1계명

꾸준한 학습

(리더의 전문적인 지식 이외에도 사람들이
평균적으로 물어보는 리더 상담 스킬 학습)

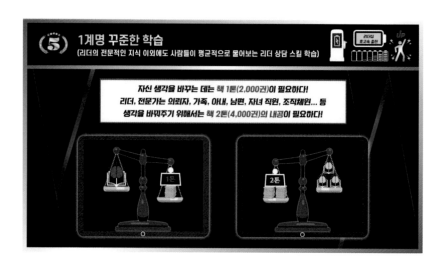

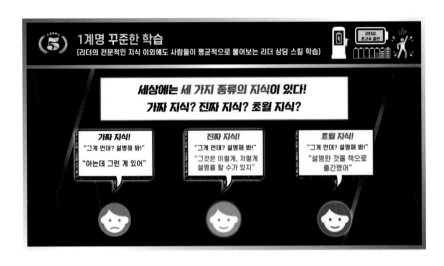

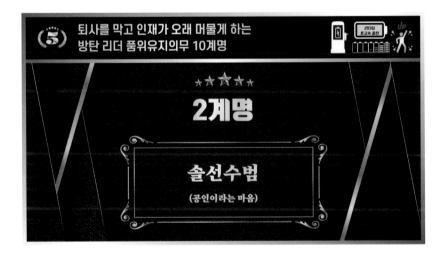

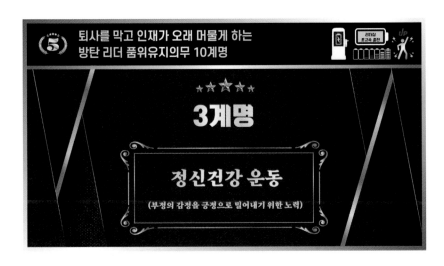

퇴사를 막고 인재가 오래 머물게 하는
방탄 리더 품위유지의무 10계명

★★★★★
3계명

정신건강 운동

(부정의 감정을 긍정으로 밀어내기 위한 노력)

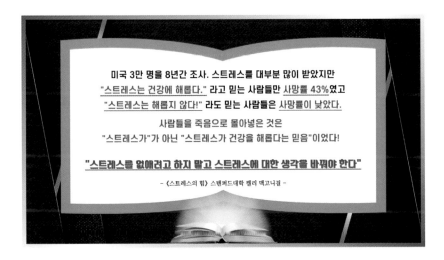

미국 3만 명을 8년간 조사. 스트레스를 대부분 많이 받았지만
"스트레스는 건강에 해롭다." 라고 믿는 사람들만 사망률 43%였고
"스트레스는 해롭지 않다!" 라도 믿는 사람들은 사망률이 낮았다.

사람들을 죽음으로 몰아넣은 것은
"스트레스가"가 아닌 "스트레스가 건강을 해롭다는 믿음"이었다!

"스트레스를 없애려고 하지 말고 스트레스에 대한 생각을 바꿔야 한다"

- 《스트레스의 힘》 스탠퍼드대학 켈리 맥고니걸 -

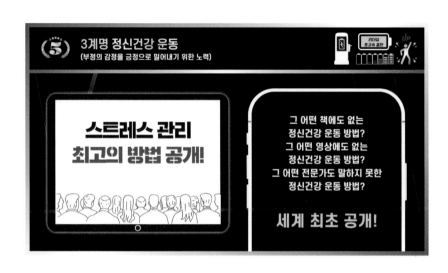

최보규 방탄리더십 전문가의 정신건강 운동(스트레스 관리) 습관 320가지 (2008년 ~ 진행 중)

1. 전신 장기기증
2. 유서 써놓기
3. 꿈 목표 설정
4. 영양제 챙기기
5. 꿀 챙기기
6. 계단 이용
7. 8시간 숙면
8. 취침 4시간 전 안 먹기
9. 기상 후, 자기 전 스트레칭 10분
10. 술, 담배 안 하기
11. 하루 운동 30분
12. 밀가루 기름진 음식 줄이기
13. 자극적인 음식 줄이기

14. 얼굴 눈 스트레칭
15. 박장대소 하루 2회
16. 기상 직후 양치질 물먹기
17. 물 7잔 마시기
18. 밥 먹는 중 물 조금만
19. 국물 줄이기
20. 밥 먹고 30후 커피 마시기
21. 기상 직후 책 듣기
22. 한 달 책 15권 보기
23. 책 메모하기
24. 메모 ppt 만들기
25. SNS 캡처 자료수집
26. 강의 자료 향상 찾기

27. 좋은 글 점심때 보내기
28. 사랑의 전화 봉사
29. 주말 유치원 봉사
30. 지인 상담봉사
31. 강의 재능기부
32. 사랑의 전화 후원
33. 강의자료 주기
34. TV 줄이기
35. 부정적인 뉴스 줄이기
36. 솔선수범하기
37. 지인들 선물 챙기기
38. 한 달 한번 등산
39. 몸에 무리 가는 행동 안 하기
40. 하루 감사 기도 마무리

41. 탄산음료, 과일주스 줄이기
42. 아침 유산균 챙기기
43. 고자세
44. 스마트폰 소독 2번
45. 게임 안 하기
46. SNS 도움 되는 것 공유
47. 전단지 받기
48. 긍정, 멘탈 사용설명서 도구 스티커 나눠주기
49. 학습자 선물 주기
50. 강의 피드백 해주기
51. 자일리톨 원석 먹기 하루 3개
52. 찬물 줄이고 물 미온수 먹기
53. 소금물 가글
54. 알람 듣고 바로 일어나기

최보규 방탄리더십 전문가의 정신건강 운동(스트레스 관리) 습관 320가지 (2008년 ~ 진행 중)

55. 오전 10시 이후 커피 먹기
56. 믹스커피 안 먹기
57. 강의 족보 주기
58. 강의 동영상 주기
59. 강의 녹음파일 주기
60. 블로그 좋은 글 나누기
61. 인스턴트 음식 줄이기
62. 아이스크림 줄이기
63. 빨리 걷기
64. 배워서 남 주자 실천(PPT)
65. 읽어서 남 주자 실천(책 속의 글)
66. 오른손으로 차 문 열기
67. 오손도손 오손 왼손 캠페인 전파하기
68. 운전 중 스마트폰 안 보기

69. 취침 전 30분 독서
70. 취침 전 30분 스마트폰 안 보기
71. 오늘이 마지막인 것처럼 섬기고 영원히 살 것처럼 배우기
72. 자존심 신발장에 넣어 두고 나오기
73. 내가 받은 상처는 모래에 새기고 내가 받은 은혜는 대리석에 새기기
74. 어제의 나와 비교하기
75. 어제 보다 0.1% 성장하기
76. 세상에서 가장 중요한 스펙? 건강, 태도 실천하기
77. 나방이 되지 않기
78. 마라톤 10주 프로그램 시작
79. 마라톤 5km 도전
80. 마라톤 10km 도전

81. 마라톤 하프 도전
82. 마라톤 풀코스 도전
83. 자기 전 5분 명상
84. 뱃살 스트레칭 3분
85. 아침 동기부여 사진 보내기 8시
86. 저녁 동기부여 사진 보내기 9시
87. 나의 1%는 누군가에게는 100%가 될 수 있다. 실천
88. 150세까지 지금 몸매, 몸 상태 유지 관리
89. 아침 달걀 먹기
90. 운동 후 달걀 먹기
91. 헬스장 등록
92. 오래 살기 위해서가 아니라 옳게 살기 위해 노력하는 사람이 되자
93. 남들이 하는 거 안 하기 남들이 안 하는 거 하기

94. 아침 결명자차 마시기
95. 저녁 결명자차 마시기
96. 폼롤러 스트레칭
97. 어제보다 나은 내가 되자
98. 남들이 안 하는 강의 분야 도전
99. 플랭크 운동
100. 스쿼터 운동
101. 계산할 때 양손으로 주고받고 인사
102. 명함 거울 선물 주기
103. 40살 되기 전 책 출간
104. 반 100년 되기 전 책 5권 집필하기
105. 유튜브[나다운TV] 강사심폐소생술
106. 유튜브[나다운TV] 나다운심폐소생술
107. 아.원.때.시.후.성.실 말 줄이기
108. 나다운 강사 책 유튜브 올려 함께 잘 되기
109. 리플렛으로 동기부여 시켜주기

110. 아침 8시 동기부여 메시지 만들어 보내기
111. 저녁 9시 동기부여 메시지 만들어 보내기
112. 어플 책 속의 한 줄에 책 내용 올리기
113. 책 내용 SNS 오픈
114. 3번째 책 원고 작업 시작
115. 4번째 책 자료수집
116. 뱃살관리 스트레칭 아침, 저녁 5분
117. 3번째 책 기획출판계약
118. 최보규강사사관학교 시작
119. 최보규강사사관학교 지회 원장 임명
120. 올 노(올바른 노력)공식 오픈
121. 행복, 방탄멘탈 공식 자자자자멘습금 오픈
122. 생화 네 잎 클로버 선물 주기
123. 세바시를 통해 극단적인선택 예방 전파!
124. 세바시를 통해 자자자자멘습금 사용설명서 전파!
125. 4번째 책 원고 시작 2021년 1월 출간 목표!
126. 전염성이 강한 상황 왔을 때 대처하기 위한 준비!
127. 코로나19 극복을 위한 공적 마스크 독고 어르신들 주기!

128. 아내를 위해 앉아서 소변보기
129. 들으라 하지 말고 듣게 하자
130. 좋은 사람이 되지 말고 좋은 사람 되어주자.
131. 좋아하게 하지 말고 좋아지게 하자
132. 보여주는(인기)인생을 사는 것보다
    보여지는(인정)인생을 살아가자.
133. 나 이런 사람이야 말하지 않아도
    이런 사람이구나 느끼게 하자.
134. 마음을 얻으려 하지 말고 마음을 열게 하자.
135. 믿으라 하지 말고 믿게 하자
136. 나에 행복 0순위는 아내의 행복이다!
    일어나서 자기 전까지 모든 것 아내에게 집중!
137. 아내 말을 잘 듣자 하는 일이 잘 된다!
138. 아버지가 어머니에게 이렇게 대했으면 하는 남편이
    되겠습니다. 매형들이 누나에게 이렇게 대했으면
    하는 남편이 되겠습니다.
139. 내 몸은 아내꺼다. 빌려 쓰는 거다! 담배, 술, 몸에
    무리가 가는 모든 것 자제하고 건강관리, 자기관리
    하겠습니다.
140. 아내의 은혜를 보답하기 위해 머리, 가슴, 몸, 돈으로
    실천하겠습니다!

141. 아내에게 받은 사랑(내조) 보답하기 위해 머리, 가슴, 몸, 돈
    으로 실천하겠습니다.
142. 아내를 몸, 마음, 돈으로 평생 웃게 해서 호강시켜주겠습니다.
143. 아내를 존경하겠습니다. 세상에 아내 같은 여자 없습니다.
144. 아내 빼고는 모든 여자는 공룡이다! 정신으로 살겠습니다.
145. 많은 사람들에게 인정받는 남편이 아닌 아내에게 인정받는
    남편이 되기 위해 먼저 맞추가는 남편이 되겠습니다.
146. 아내에게 무조건 지겠습니다.
    이기려 하지 않겠습니다. 아내 앞에서는 나직성자체를
    내려놓겠습니다. (나이, 직급, 성별, 자존심, 체면)
147. 지저분한 것(음식물 쓰레기, 화장실 청소)다 하겠습니다.
148. 함께하는 한 가지를 위해 개인 생활 10가지를 감수하겠습니다.
149. 최강자 학습지 (최보규의 강사학습지, 자기계발학습지)
150. 홈코 시작(집에서 화상 1:1 케어)
151. 불자의 인생 시작
152. 나는 복덩어리다. 나는 운이 좋은 사람이다.
153. 베스트셀러 3권 달성 노하우 책쓰기 교육 시작
154. 유튜브, 유튜버 100년 하는 노하우 교육 시작

229

최보규 방탄리더십 전문가의 정신건강 운동(스트레스 관리) 습관 320가지 (2008년 ~ 진행 중)

155. 방탄멘탈마스터 양성 시작
156. 나다운 방탄멘탈 책으로 극단적인 선택 줄이기
157. 아침 8시, 저녁 9시 방탄멘탈공식 SNS 공유
158. 5번째 책 2022년 나다운 방탄사랑
159. 2023 나다운 방탄멘탈 2
160. 2024 나다운 책 쓰기(100년 가는 책)
161. 2025 유튜버가 아니라 나튜버 (100년 가는 나튜버)
162. 2026 나다운 강사3(Q&A)
163. 2027 나다운 명언
164. 2029 나다운 인생(50살 자서전)
165. 줌 화상 기법 강의, 코칭(최보규줌사관학교)
166. 언택트(비대면)시대에 맞게 아날로그 방식 80%를 디지털 방식 80%로 체인지
167. 변기 뚜껑 닫고 물 내리기
168. 빨래개기
169. 요리하기, 요리책 내기 위한 자료 수집
170. 화장실 물기 제거

171. 부엌 청소, 집 청소, 화장실 청소
172. 사랑해 100번 표현하기
173. 아내에게 하루 마무리 안마 5분 해주기
174. 헌혈 2달에 1번
175. 헌혈증 기부
176. 네 번째 책 행복 히어로로 책 출간
177. 극단적인 선택률, 이혼율 낮추기 위한 교육 시작
178. 행복을 높이기 위한 교육 시작
179. 다섯 번째 책 원고 작업 시작
180. 여섯 번째 책 자료 수집
181. 운전 중 양보 해 줄 때, 받을 때 목례로 인사하기.
182. 다섯 번째 책 나다운 방탄습관블록 출간
183. 습관사관학교 시스템 완성
184. 습관 코칭, 교육 시작
185. 아침 8시, 저녁 9시 습관 메시지 sns 공유
186. 습관 전문가 되어 무료 케어 상담 시작
187. 습관 콘텐츠 유튜브<행복히어로>에 무료 오픈 시작

최보규 방탄리더십 전문가의 정신건강 운동(스트레스 관리) 습관 320가지 (2008년 ~ 진행 중)

188. 여섯 번째 책 원고 작업 시작
189. 최보규상(대한민국 노벨상) 버킷리스트 설정
190. 2037년까지 운영진, 자금(상금), 시스템 완성 목표 설정
191. 최보규상을 1,000년 동안 유지하기 위한 공부
192. 일곱 번째 자존감 책 원고 작업
193. 여덟 번째 책 쓰기 책 자료 수집, 공부
194. 앉아있을 때 50분의 한번 건강 타이머 누르기
195. 세계 최초 자기계발쇼핑몰(www.자기계발아마존.com)
196. 온라인 건물주 분양 시작(월세, 연금성 소득 올릴 수 있는 시스템)
197. 일곱, 여덟 번째 책 축간(나다운 방탄자존감 명언 Ⅰ, Ⅱ)
198. 자기계발코칭전문가 1급, 2급 자격증 교육 시작
199. 방탄자기계발사관학교 Ⅰ, Ⅱ, Ⅲ, Ⅳ 4권 출간
200. 2021년 목표였던 9권 책 출간 달성!
201. 하루 3번 호흡 스펙 습관 쌓기 시작
    (코 8초 마시고, 5초 멈추고, 입으로 8초 내뱉기)
202. 장모님께 출간 한 책 12권 드리기
203. 2022년 최보규의 책 쓰기9 원고 작업 시작
204. 100만 프리랜서들 도움주기 위한 프로젝트 시작

205. 방탄 자존감 코칭 기술
206. 방탄 자신감 코칭 기술
207. 방탄 자기관리 코칭 기술
208. 방탄 자기계발 코칭 기술
209. 방탄 멘탈 코칭 기술
210. 방탄 습관 코칭 기술
211. 방탄 긍정 코칭 기술
212. 방탄 행복 코칭 기술
213. 방탄 동기부여 코칭 기술
214. 방탄 정신교육 코칭 기술
215. 꿈 코칭 기술
216. 목표 코칭 기술
217. 방탄 강사 코칭 기술
218. 방탄 강의 코칭 기술
219. 파워포인트 코칭 기술
220. 강사 트레이닝 코칭 기술
221. 강사 스킬UP 코칭 기술
222. 강사 인성, 멘탈 코칭 기술

223. 강사 습관 코칭 기술
224. 강사 자기계발 코칭 기술
225. 강사 자기관리 코칭 기술
226. 강사 양성 코칭 기술
227. 강사 양성 과정 코칭 기술
228. 퍼스널브랜딩 코칭 기술
229. 방탄 리더십 코칭 기술
230. 방탄 인간관계 코칭 기술
231. 방탄 인성 코칭 기술
232. 방탄 사랑 코칭 기술
233. 스트레스 해소 코칭 기술
234. 힐링, 웃음, FUN 코칭 기술
235. 마인드컨트롤 코칭 기술
236. 사명감 코칭 기술
237. 신념, 열정 코칭 기술
238. 팀워크 코칭 기술
239. 협동, 협업 코칭 기술
240. 버킷리스트 코칭 기술

241. 종이책 쓰기 코칭 기술
242. PDF 책 쓰기 코칭 기술
243. PPT로 책 출간 코칭 기술
244. 자격증 교육 커리큘럼으로 책 출간 코칭 기술
245. 자격증 교육 커리큘럼으로 영상 제작 코칭 기술
246. 책으로 디지털콘텐츠 제작 코칭 기술
247. 책으로 온라인 콘텐츠 제작 코칭 기술
248. 책으로 네이버 인물 등록 코칭 기술
249. 책으로 강의 교안 제작 코칭 기술
250. 책으로 민간 자격증 만드는 코칭 기술
251. 책으로 자격증 과정 8시간 제작 코칭 기술
252. 책으로 유튜브 콘텐츠 제작 코칭 기술
253. 유튜브 시작 코칭 기술
254. 유튜브 자존감 코칭 기술
255. 유튜브 멘탈 코칭 기술
256. 유튜브 습관 코칭 기술
257. 유튜브 목표, 방향 코칭 기술
258. 유튜브 동기부여 코칭 기술

259. 유튜브가 아닌 나튜브 코칭 기술
260. 유튜브 영상 제작 코칭 기술
261. 유튜브 영상 편집 코칭 기술
262. 유튜브 울렁증 극복 코칭 기술
263. 유튜브 썸네일 디자인 제작 코칭 기술
264. 유튜브 콘텐츠 제작 코칭 기술
265. 유튜브 수입 연결 제작 코칭 기술
266. 유튜브 영상 홍보 코칭 기술
267. 홈페이지 무인시스템 연결 제작 코칭 기술
268. 홈페이지 자동 결제 시스템 제작 코칭 기술
269. 홈페이지 비메오 연결 제작 코칭 기술
270. 홈페이지 렌탈 시스템 제작 코칭 기술
271. 홈페이지 디자인 제작 코칭 기술
272. 홈페이지 제작 코칭 기술
273. 재능마켓 크몽 PDF 입점 코칭 기술
274. 재능마켓 크몽 강의 입점 코칭 기술
275. 재능마켓 크몽 이미지 디자인 제작 코칭 기술
276. 재능마켓 크몽 입점 영상 제작 코칭 기술

277. 재능마켓 크몽 입점 영상 편집 코칭 기술
278. 재능마켓 크몽 VOD 입점 코칭 기술
279. 클래스101 영상 입점 코칭 기술
280. 클래스101 PDF 입점 코칭 기술
281. 클래스101 이미지 디자인 제작 코칭 기술
282. 클래스101 영상 제작 코칭 기술
283. 클래스101 영상 편집 코칭 기술
284. 탈잉 영상 입점 코칭 기술
285. 탈잉 PDF 입점 코칭 기술
286. 탈잉 이미지 디자인 제작 코칭 기술
287. 탈잉 영상 제작 코칭 기술
288. 탈잉영상 편집 코칭 기술
289. 탈잉 VOD 입점 코칭 기술
290. 클래스U 영상 입점 코칭 기술
291. 클래스U 영상 제작 코칭 기술
292. 클래스U 영상 편집 코칭 기술
293. 클래스U 이미지 디자인 제작 코칭 기술
294. 클래스U 커리큘럼 제작 코칭 기술

최보규 방탄리더십 전문가의 정신건강 운동(스트레스 관리) 습관 320가지 (2008년 ~ 진행 중)

295. 인물 입점 코칭 기술
296. 자신 분야 콘텐츠 제작 코칭 기술
297. 자신 분야 콘텐츠 컨설팅 코칭 기술
298. 자기계발코칭전문가 1시간 ~ 1년 코칭 기술
299. 강사코칭전문가, 리더십코칭전문가 1시간 ~ 1년 코칭 기술
300. 온라인 건물주 되는 코칭 기술
301. 강사 1:1 코칭기법 코칭 기술
302. 전문 분야 있는 사람 1:1 코칭 기법 코칭 기술
303. CEO, 대표, 리더, 협회장 품위유지의무 코칭 기술
304. 은퇴 준비 코칭 기술
305. 2023년 나다운 방탄리더십 1, 2, 3, 4, 5 출간
306. 나다운 방탄리더십 아침, 저녁 메시지 시작
307. 강사코칭전문가 자격증 시스템 시작
308. 방탄 리더십 원고 작업 시작
309. 방탄 리더 자존감 원고 작업 시작
310. 방탄 리더 멘발 원고 작업 시작
311. 방탄 리더 습관 원고 작업 시작
312. 방탄 리더 행복 원고 작업 시작
313. 방탄 리더 자기계발 원고 작업 시작
314. 방탄 리더 코칭 원고 작업 시작
315. 마트에서 구입한 물건들 바코드 정렬해서 올리기
316. 장모님 머리 염색해 주기
317. 처남 금연, 금주 도와주기
318. 한 해 시작할 때 습관 영상 업로드
319. 결혼기념일 뱃지, 명찰 제작
320. 뒤꿈치 들기 운동 시작

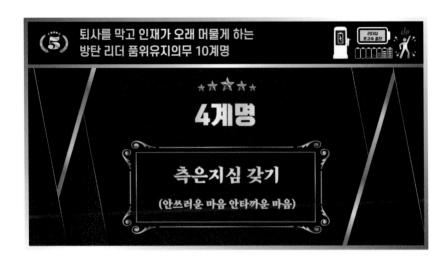

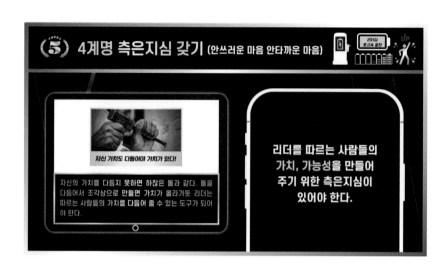

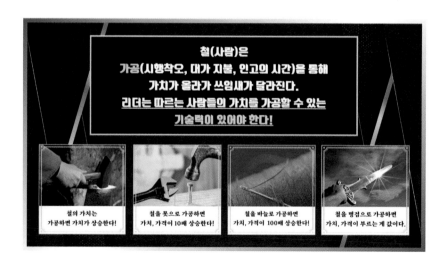

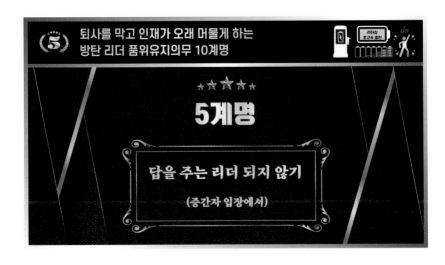

선택한 순간 차선책은 없다!

선택을 잘하는 최고의 방법? "최고의 선택은 없다!" 라는 태도로
선택한 후 최고의 결과를 내기 위해
자신을 믿고 꾸준히 행동하는 것뿐이다!

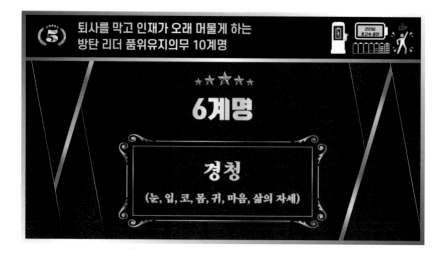

퇴사를 막고 인재가 오래 머물게 하는
방탄 리더 품위유지의무 10계명

★ ★ ★ ★ ★
6계명

경청
(눈, 입, 코, 몸, 귀, 마음, 삶의 자세)

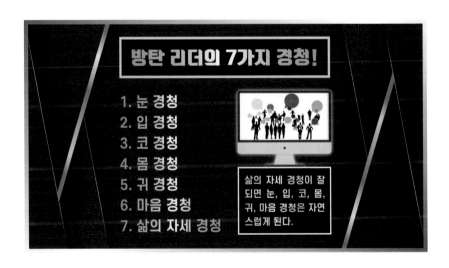

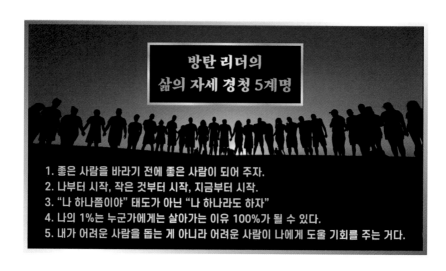

방탄 리더의
삶의 자세 경청 5계명

1. 좋은 사람을 바라기 전에 좋은 사람이 되어 주자.
2. 나부터 시작, 작은 것부터 시작, 지금부터 시작.
3. "나 하나쯤이야" 태도가 아닌 "나 하나라도 하자"
4. 나의 1%는 누군가에게는 살아가는 이유 100%가 될 수 있다.
5. 내가 어려운 사람을 돕는 게 아니라 어려운 사람이 나에게 도울 기회를 주는 거다.

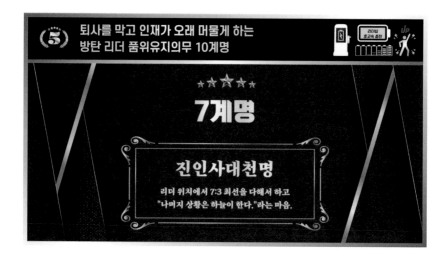

퇴사를 막고 인재가 오래 머물게 하는
방탄 리더 품위유지의무 10계명

★ ★ ★ ★ ★

7계명

진인사대천명

리더 위치에서 7:3 최선을 다해서 하고
"나머지 상황은 하늘이 한다."라는 마음.

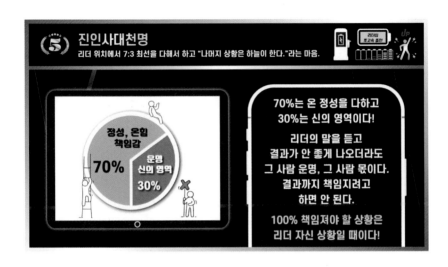

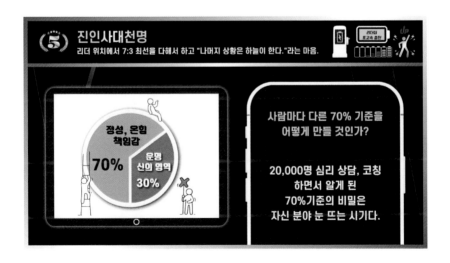

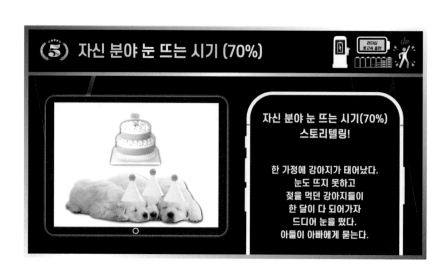

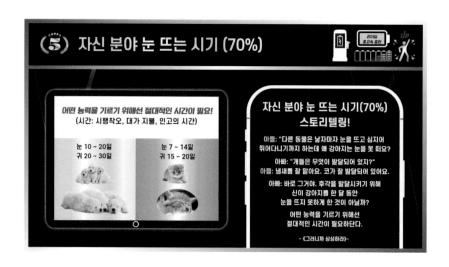

아기 눈 뜨는 시기 (아무 노력 없이 본능적인 행동)		방탄동기부여 전문가 (시행착오, 대가 지불, 인고의 시간)	
2 ~ 3일	탄생	강사 시작	강사 직업 10%만 알고 시작(웃음치료사)
사람이나 물건의 움직임을 느끼고 구별	1개월	1년	웃음치료 강사
서서히 눈 초점을 맞추기 시작	2~3개월	3년	FUN강사+일반 강의 강사 (강사 직업 눈을 뜬 시기)
색깔을 구별 엄마, 아빠 눈동자 맞춤	3~4개월	10년	전문 동기부여, 자기계발, 리더십 강사
성인과 동일한 시력	5~6살	15년	자기계발, 동기부여 책 100권 출간, 동기부여 일타강사

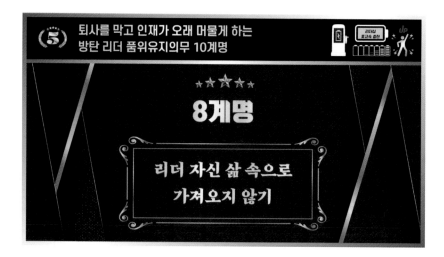

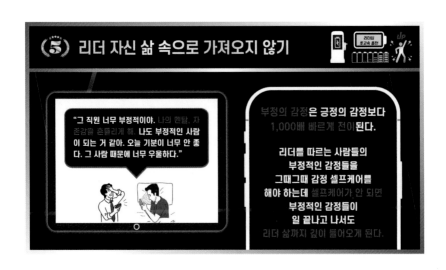

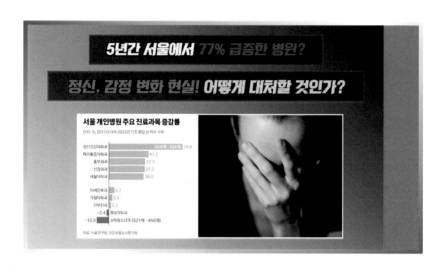

★ ★ ★ ★ ★

9계명

개인 정보 보완 유지

개인 정보 보완 유지

개인정보보호법

SNS 속 사진 한 장도 개인정보보호!

sns에서 대수롭지 않게 지인들과 찍은 가족사진, 자녀 사진, 지인 사진, 장소 사진... 등 원치 않는데 노출을 시키는 경우가 빈번하다.

자신 sns에 업로드하기 위해 가족, 자녀, 친구, 지인들에게 동의를 구했는가? 누군가는 sns노출을 싫어한다는 것을 알아야 한다.

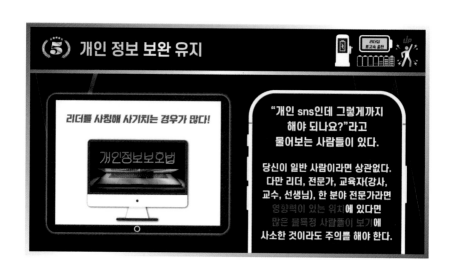

⑤ 개인 정보 보완 유지

리더를 사칭해 사기치는 경우가 많다!

개인정보보호법

"개인 sns인데 그렇게까지
해야 되나요?"라고
물어보는 사람들이 있다.

당신이 일반 사람이라면 상관없다.
다만 리더, 전문가, 교육자(강사,
교수, 선생님), 한 분야 전문가라면
영향력이 있는 위치에 있다면
많은 불특정 사람들이 보기에
사소한 것이라도 주의를 해야 한다.

물고기를 잡는 시간 (리더 업무 시간) 도 낚시 (리더십) 고
물고기를 잡지 않는 시간 (SNS 속 시간) 도 낚시 (리더십) 다.

과정 속에서 사소한 모든 것들이 누적이 되어 결과가 만들어진다.
시간 낭비는 없다. 시간을 낭비하는 자신의 게으름만 있다.

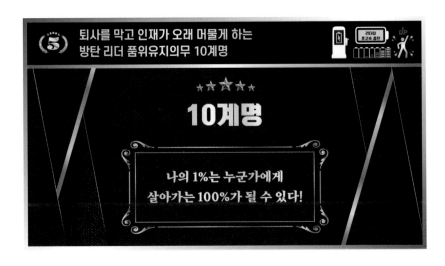

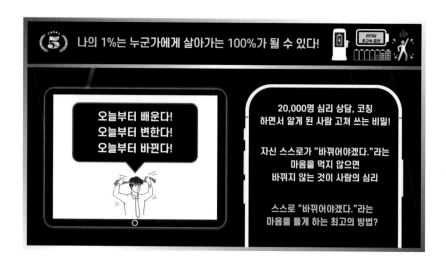

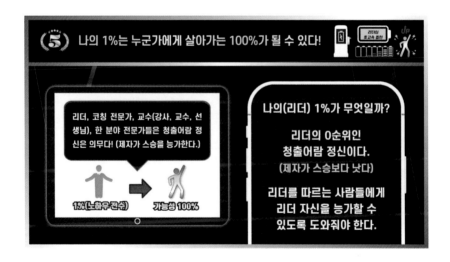

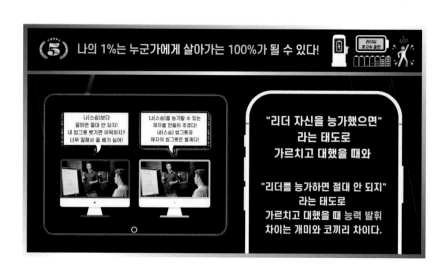

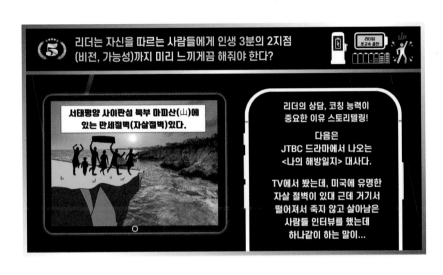

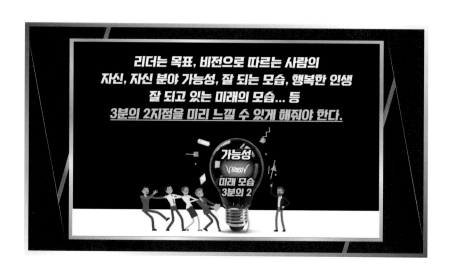

누구나
방탄 리더가 될 수 있었다면
난 결코
방탄 리더를
선택하지 않았을 것이다!

- 최보규 방탄리더십 일타강사 -

피크엔드법칙!
(The Peak End Rule)
시간 속에 가장 절정에 이르렀을 때와
가장 마지막 경험의 평균값으로 결정된다!

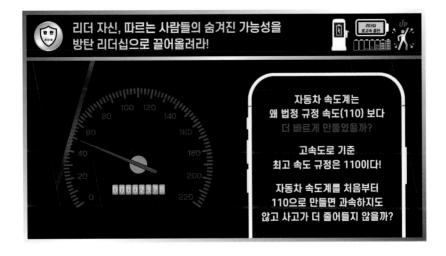

리더 자신, 따르는 사람들의 숨겨진 가능성을
방탄 리더십으로 끌어올려라!

자동차 속도계는
왜 법정 규정 속도(110) 보다
더 빠르게 만들었을까?

고속도로 기준
최고 속도 규정은 110이다!

자동차 속도계를 처음부터
110으로 만들면 과속하지도
않고 사고가 더 줄어들지 않을까?

자동차는 왜 법정속도보다 훨씬 빠르게 만들까?

자동차 의 종류에 따라서 차이가 있으나 속도 계기판을 보면 꽤 빠른 속도를 낼 수 있게끔 설계되어 있습니다. 근데 법에서 허용하는 자동차의 최고속도는 시속 100km 내외입니다. 즉 자동차가 속도 계기판에 적힌 최고 속도로 달리는 일은 불법이므로 일반인이 도로에서 자동차를 최고 속도로 운행할 일은 사실상 없습니다. 여기서 주제 의문이 생깁니다.

앞서 알아본 것처럼 제한 사항이 있음에도 자동차는 왜 법정 속도를 훨씬 뛰어넘는 속도로 만드는 걸까요? 오히려 자동차의 최고 속도의 제한을 두면 과속하는 운전자는 없을 것이므로 시민 안전에 도움이 되지 않을까 싶은데 말입니다.

이와 관련해 자동차 제조업체 4곳에 문의를 해봤습니다. 아무래도 규정된 사항이나 관련 자료를 따로 준비해 놓을 만한 내용이 아니다 보니 형식적인 답변을 해준 것도 있었고 나름의 의견을 제시해 준 곳도 있었습니다. 이를 종합해서 봤을 때 몇 가지의 합리적인 이유가 있었고 자체적인 자료조사를 통해 알 수 있었던 내용을 통해 주제 의문을 해결하고자 합니다.

먼저 마케팅 목적의 이유가 있습니다.
많은 사람이 빠른 속도를 낼 수 있는 자동차를 좋은 자동차라고 여깁니다.
자동차의 속도가 빠르다는 것은 성능이 그만큼 받쳐 준다는 것이고 이는 자동차의 스펙이 됩니다. 그리고 자동차의 스펙은 소비자를 사로잡을 수 있는 무기가 됩니다. 이와 비슷하게 스마트폰 카메라 화소도 계속해서 높아지고 있는데 마찬가지로 마케팅에 목적이 있습니다.

다음으로 심리적 안정감의 이유가 있습니다.
시속 80 ~ 110km로 운행하면 속도 계기판의 바늘은 중간이나 중간보다 안 되는 위치에 있습니다. 이것이 운전자에게 심리적 안정감을 줄 수 있고 주로 운행하는 속도일 때 바늘이 중간쯤에 있으면 보기도 편합니다. 즉 인체 공학적인 디자인입니다.

다음으로 엔진의 이유가 있습니다.
이해하기 쉽게 예를 들어서 시속 100km/h 가 한계인 A 자동차와 시속 200km/h가 한계인 B 자동차가 있다고 해 보겠습니다. 이때 두 자동차를 각각 시속 100km/h로 달리게 하면 A 자동차는 전력을 다해야 합니다. 근데 B

자동차는 자신이 갖춘 능력의 반만 사용하면 됩니다. 당연히 B 자동차의 엔진에 무리가 덜 갈 것이고 엔진 소음도 덜 납니다.

다음으로 유동적인 속도 제한 조치에 대응하기 위한 이유가 있습니다.

도로의 따라서 국가에 따라서 속도 제안이 제각각인데 각속도 제안에 맞춰 자동차를 달리 만들면 그에 따른 비용이 더 추가됩니다. 처음 만들 때부터 넉넉하게 만들어 놓으면 이런 문제에서 자유롭습니다.

다음으로 자동차의 무게나 지형의 이유가 있습니다.

언덕을 오르는 중이거나 역풍이 불거나 자동차에 탑승자 또는 짐이 많이 실린 경우 자동차는 속도를 제대로 내지 못할 수 있습니다.

시속 100km가 최근 자동차가 해당 상황에 놓인다면 그보다 더 느린 속도가 나옵니다. 이런 상황을 고려해서라도 더 빠른 속도의 자동차가 필요합니다.

<유튜브 사물궁이 잡학지식>

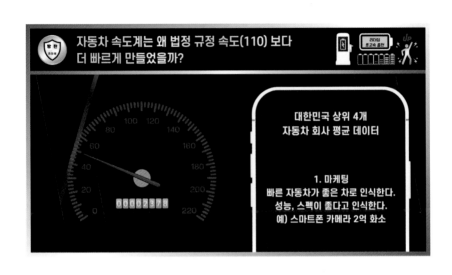

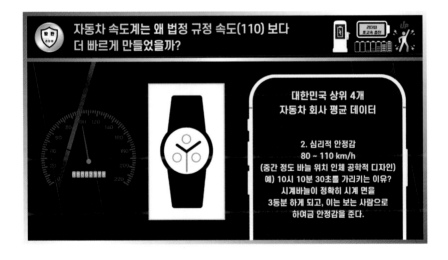

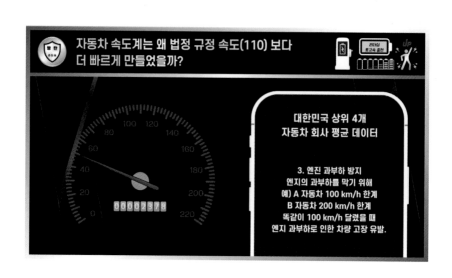

자동차 속도계는 왜 법정 규정 속도(110) 보다 더 빠르게 만들었을까?

대한민국 상위 4개
자동차 회사 평균 데이터

3. 엔진 과부하 방지
엔진의 과부하를 막기 위해
예) A 자동차 100 km/h 한계
B 자동차 200 km/h 한계
똑같이 100 km/h 달렸을 때
엔진 과부하로 인한 차량 고장 유발.

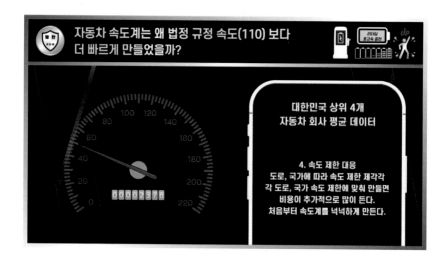

자동차 속도계는 왜 법정 규정 속도(110) 보다 더 빠르게 만들었을까?

대한민국 상위 4개
자동차 회사 평균 데이터

4. 속도 제한 대응
도로, 국가에 따라 속도 제한 제각각
각 도로, 국가 속도 제한에 맞춰 만들면
비용이 추가적으로 많이 든다.
처음부터 속도계를 넉넉하게 만든다.

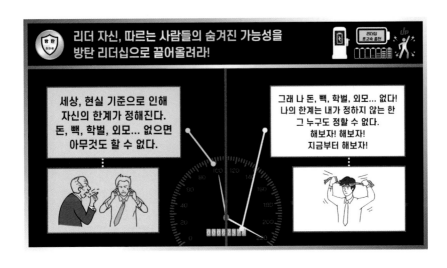

▶ 영상 전체 내용!

기댈 곳 / 가수 싸이
당신의 오늘 하루가 힘들진 않았나요
나의 하루는 그저 그랬어요
괜찮은 척하기가 혹시 힘들었나요
난 그저 그냥 버틸만했어요
솔직히 내 생각보다 세상은 독해요
솔직히 난 생각보다 강하진 못해요.
하지만 힘들다고 어리광 부릴 순 없어요.
버딜 거야 신닐 서야 괜잖을 거야
하지만 버틴다고 계속 버텨지지는 않네요

그래요 나 기댈 곳이 필요해요
그대여 나의 기댈 곳이 돼줘요
당신의 고된 하루를 누가 달래주나요
다독여달라고 해도 소용없어요
솔직히 난 세상보다 한참 부족해요
솔직히 난 세상만큼 차갑진 못해요
하지만 힘들다고 어리광 부릴 순 없어요
버틸 거야 견딜 거야 괜찮을 거야
하지만 버틴다고 계속 버텨지지는 않네요
그래요 나 기댈 곳이 필요해요
그대여 나의 기댈 곳이 돼줘요
항상 난 세상이 날 알아주길 바래
실은 나 세상이 날 안아주길 바래
괜찮은 척하지만 사는 게 맘 같지는 않네요
저마다의 웃음 뒤엔 아픔이 있어
하지만 아프다고 소리 내고 싶지는 않아요
그래요 나 기댈 곳이 필요해요
그대여 나의 기댈 곳이 돼줘요

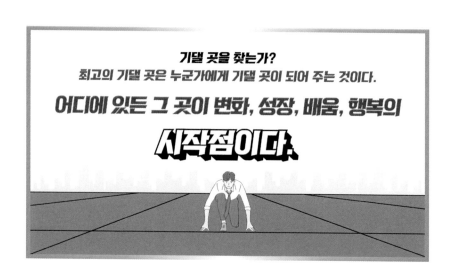

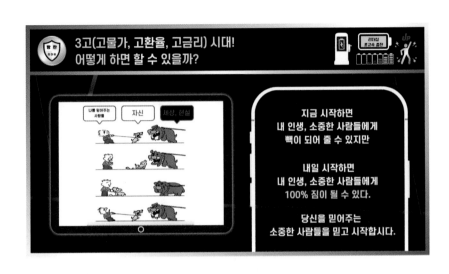

명품 방탄 리더십 조건!

1. 단 하나 (only one)

   방탄리더십 코칭은 오직 최보규 창시자만 가능하다.

2. 책임감 (150년 a/s, 관리, 피드백)

3. 체계적인 1:1 맞춤 시스템 (9단계 시스템)

4. 20,000명 심리 상담, 코칭 (상담 전문가)

5. 삼성이 검증된 전문가(진정성, 전문성, 신뢰성)

   리더 자기계발 책 18권 출간

Google 자기계발아마존 　　YouTube 방탄자기계발　　NAVER 방탄자기계발사관학교　　NAVER 최보규

리더십을 자동차 4개의 바퀴로 비유하자면 리더 자존감, 리더 멘탈, 리더 습관, 리더 행복이고 핸들은 (이루고 싶은 것) 방탄리더십이다! 리더 자존감, 리더 멘탈, 리더 습관, 리더 행복을 통해 리더의 삼성 (진정성, 전문성, 신뢰성)을 올려서 제2수입, 제3수입, 월세, 연금성 수입을 발생 시켜 온라인 건물주로 만들어 주는 것이 방탄리더십이다.

꽃, 열매는(리더십) 화려하고 보기 좋았는데
뿌리가(리더십) 썩어 죽어가고 있다?

열매는 결과이고 뿌리는 본질이다. 본질이 제대로 뿌리 내리지 못하면 열매는 의미가 없다. 가장 중요한 뿌리(리더 자존감, 리더 멘탈, 리더 습관, 리더 행복, 리더 자기계발)를 학습, 연습, 훈련을 하지 않으면 리더 삼성(진정성, 전문성, 신뢰성)을 올려 제2수입, 3수입을 만들어 주는 방탄리더십의 꽃, 열매는 얻을 수 없다!

방탄리더십

삼성이 검증된 방탄리더십 전문가

| Google 자기계발아마존 | ▶YouTube 방탄자기계발 | NAVER 방탄자기계발사관학교 | NAVER 최보규 |

리더의
삼성(진정성, 전문성, 신뢰성)
제2수입, 제3수입을 올려 온라인 건물주 되자!

80%는 교육으로 만들어진다? 300% 틀렸습니다!

세계 최초! 방탄리더십 효율적인 교육 시스템!

1단계

교육
= 20%

2단계

스스로
학습, 연습, 훈련
= 30%

3단계

검증된 전문가
a/s,관리,피드백

= 50%

150년
a/s,관리,피드백

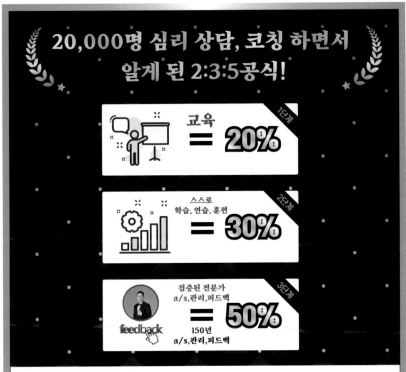

평균적으로 학습자들은 교육만 받으면 80% 효과를 보고 동기부여가 되어 행동으로 나올 것이라고 착각합니다.

그러다 보니 교육받는 동안 생각만큼, 돈을 지불한 만큼 자신 기준의 미치지 못하면 효과를 보지 못할 거라고 지레짐작으로 스스로가 한계를 만들어 버립니다. 그래서 행동으로 옮기지 못하는 것이 상황, 교육자가 아닌 자기 자신이라는 것을 모릅니다.

20,000명 심리 상담, 코칭, 리더 자기계발 서 18권 출간, 리더 습관 304가지 만듦, 시행착오, 대가 지불, 인고의 시간을 통해 가장 효율적이며 효과적인 교육 시스템은 2:3:5라는 것을 알게 되었습니다.

교육 듣는 것은 20%밖에 되지 않습니다. 교육을 듣고 스스로가 생활 속에서 배웠던 것을 토대로 30% 학습, 연습, 훈련해야 합니다.
학습, 연습, 훈련한 것을 가장 중요한 50%인 검증된 전문가에게 꾸준히 a/s, 관리, 피드백을 받아야만 2:3:5공식 효과를 볼 수 있습니다.

자신 분야 스펙, 내공, 가치, 값어치

카페에서 냅킨에 그린 그림이 1억?

카페에 피카소가 앉아 있었습니다. 한 손님이 다가와 종이 냅킨 위에 그림을 그려 달라고 부탁했습니다. 피카소는 상냥하게 고개를 끄덕이곤 빠르게 스케치를 끝냈습니다. 냅킨을 건네며 1억 원을 요구했습니다.

손님이 깜짝 놀라며 말했습니다. 어떻게 그런 거액을 요구할 수 있나요? 그림을 그리는 데 1분밖에 걸리지 않았잖아요. 이에 피카소가 답했습니다.

아니요. 40년이 걸렸습니다. 냅킨의 그림에는 피카소가 40여 년 동안 쌓아온 노력, 고통, 열정, 명성이 담겨 있었습니다. 피카소는 자신이 평생을 바쳐서 해온 일의 가치를 스스로 낮게 평가하지 않았습니다.

《확신》

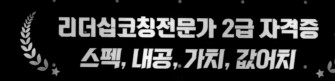

리더십코칭전문가 2급 자격증
스펙, 내공, 가치, 값어치

 리더 자기계발 책 2,000권 독서

 20,000명 심리 상담, 코칭

 자기계발 책 100권 출간

 45년간 리더 습관 320가지 만듦

세계 최초! 방탄코칭 시스템을 통한
자생능력(스스로 할 수 있는 능력)향상

★ 자생능력 Level UP
★ A~E classe
★ 검증된 "삼성 전문가"
　 (진정성, 전문성, 신뢰성)

Level 5
자생
EC

Level 4
도약
DC

Level 3
성장
CC

Level 2
변화
BC

Level 1
기초
AC

5시간　　1개월　　2개월　　3개월　　6개월

검증된 전문가 교육시스템

회원제를 통한 맞춤 학습, 연습, 훈련
오프라인 전문상담사가 검진 후 특별맞춤 학습, 연습, 훈련

검증된 강사코칭 전문가
세계 최초 강사 백과사전
강사 사용설명서를 만든 전문가!
150년 A/S, 관리,해주는 책임감!

검증된 책 쓰기 전문가 39권
나다운 강사1, 나다운 강사2
나다운 방탄멘탈, 행복히어로
나다운 방탄습관블록
나다운 밥타 카피 1부터
나다운 방탄자존감 명언 I
나다운 방탄자존감 명언 II
방탄자기계발 사관학교 I, II, III, IV
자기계발코칭전문가 1,2,3,4,5,6
나다운 방탄리더십 1,2,3,4,5
외 16권

검증된 자기계발 전문가
방탄행복 참시자!
방탄멘탈 참시자!
방탄습관 참시자!
방탄자존감 참시자!
방탄자기계발 참시자!
방탄강사 참시자!
방탄리더십 참시자!

검증된 상담 전문가
20,000명 심리 상담, 코칭!
독학하기 힘든 자자자자멘습긍
(자존감, 자신감, 자기관리, 자기계
발, 멘탈, 습관, 긍정)
1:1 케어까지 해주며 행복 주치의가
되어주는 전문가!

279

1명의 방탄리더가 10만 명을 변화시킨다!

커리큘럼

Google 자기계발아마존

클래스명	내용	2급 (온라인)	1급 (온,오라인)
방탄리더 본질	리더십의 반대는 꼰대십(리더병) 리더십의 부모는 은퇴십	0강	5시간
방탄 리더 자존감	방탄 리더 자존감 원리, 학습, 연습, 훈련	1강, 2강	5시간
방탄 리더 멘탈	방탄 리더 멘탈 보호막 원리, 학습, 연습, 훈련	3강, 4강	5시간
방탄 리더 습관	방탄 리더 습관 보호막 원리, 학습, 연습, 훈련	5강, 6강	5시간
방탄 리더 행복	방탄 리더 행복 보호막 원리, 학습, 연습, 훈련	7강, 8강	5시간
방탄 리더 자기계발	방탄 리더 자기계발 원리, 학습, 연습, 훈련	9강, 10강	5시간
방탄 리더 코칭	리더 코칭 전문가 10계명 (품위유지의무)	11강	5시간

국가등록 민간자격증

★ 자격증명: 리더십코칭전문가 2급, 1급
★ 등록번호: 2023-000126
★ 주무부처: 교육부
★ 자격증 종류: 모바일 자격증

리더십코칭전문가2급
필기/실기

#. 자격증 검증비, 발급비 50,000원 발생
(입금 확인 후 시험 응시 가능)

▶ 0강~10강(객관식):(10문제 = 6문제 합격)

▶ 11강(주관식):(10문제 = 6문제 합격)

▶ 시험 응시자 문자, 메일 제목에 리더십코칭전문가
2급 시험 응시합니다.
최보규 010-6578-8295 / nice5889@naver.com

▶ 구글 폼으로 문제를 보내주면 1주일 안에 제출!
합격 여부 1주일 안에 메일, 문자로 통보!
100점 만점에 60점 안되면 다시 제출!

리더십코칭전문가1급 필기/실기

리더십코칭전문가2급 취득 후 온라인(줌)1:1, 오프라인1:1 선택 후 5개 분야 중 하나 선택(리더 자존감, 리더 멘탈, 리더 습관, 리더 행복, 리더 자기계발 = 10가지) 한 분야 5시간 집중 코칭 후 2급과 동일하게 필기시험, 실기시험(코칭비용 상담)

★ ★ ★ ★ ★

1조 리더십 강의

리더는 누구나 되지만
방탄 리더는 아무나 될 수 없다!

방탄강사
사관학교

강사코칭전문가 2급 커리큘럼

클래스명	내용	1급(온,오)
강사 현실	강사 현실(생계형 강사 90% 강사님 강사료가 어떻게 되나요?)	1강
강사 준비 1	강사라는 직업을 시작하려는 분들 준비, 학습, 연습, 훈련!	2강-1부
강사 준비 2	강사라는 직업을 시작하려는 분들 준비, 학습, 연습, 훈련!	3강-2부
강사 준비 3	강사라는 직업을 시작하려는 분들 준비, 학습, 연습, 훈련!	4강-3부
1년차 ~ 3년차	1년차 ~ 3년차 경력 있는 강사들 준비, 학습, 연습, 훈련!	5강
3년차 ~ 5년차	3년차 ~ 5년차 경력 있는 강사들 준비, 학습, 연습, 훈련!	6강
5년차 ~ 10년차 1	5년차 ~ 10년차 이상 경력 있는 강사들 준비, 학습,연습, 훈련!	7강-1부
5년차 ~ 10년차 2	5년차 ~ 10년차 이상 경력 있는 강사들 준비, 학습,연습, 훈련!	8강-2부
5년차 ~ 10년차 3	5년차 ~ 10년차 이상 경력 있는 강사들 준비, 학습,연습, 훈련!	9강-3부
5년차 ~ 10년차 4	5년차 ~ 10년차 이상 경력 있는 강사들 준비, 학습,연습, 훈련!	10강-4부
강의, 강사 트렌드	교육담당자, 청중, 학습자가 원하는 강의, 강사 트렌드! 2022년 부터 ~ 2150년 강의, 강사 트렌드!	11강
강사 코칭전문가	강사 코칭전문가 10계명(품위유지의무)	12강

강사코칭전문가 1급 커리큘럼

클래스명	내용	1급(온,오)
집중 기법	강의 시작 동기부여, 강의 집중 기법	1강
SPOT 기법	아이스브레이킹 기법 (SPOT+메시지기법)	2강
스토리텔링 기법	스토리텔링 기법, 피크앤드기법	3강
강사료UP	강사료 올리는 방법! 강사 인성, 매너, 개념, 메탈 교육	4강
강의트렌드	담당자, 청중, 학습자가 원하는 강의기법 트렌드	5강

행복한 강사를 위한 강의, 강사 검진

강사병원
검진성형

"대한민국 최초" 최보규 강사 닥터 1호

몸과 마음이 아프면 병원에 의사를 만나야 하듯!
강사를 하다 힘들면 언제든지 치료받을 수 있는
당신만의 강사주치의 '강사 닥터'

www.방탄자기계발사관학교.com

🔊 교육 담당자, 청중, 학습자가 원하는 강의 스타일, 강사 스타일
이 있는데 강사님은 자신 스타일만 고집하고 있지는 않나요?

왜? 내 강의는 즐겁지 않지?

왜? 내 강의는 메시지가 없지?

즐거운 강의는 되는데 메시지가 약한 강사

메시지 강의는 되는데 즐거운 강의가 약한 강사

지금 가성비 강사를 원하고 가성비 강사만 살아남습니다.

즐거운 강의(기본)+메시지+스토레텔링+감동 = 실천 동기부여

강사료를 어떻게 올리지? 강사일 어떻게 오래 지속하지?

강의, 강사의 걱정 고민 37,000가지

강사양성 전문가가 해결해 드립니다.

세상에 즐거운
강의, 메시지 강의
못하는 강사는 없습니다.
다만 그 방법을 모르는
강사만 있을 뿐입니다.

-최보규 강사 닥터 1호-

"대한민국 최초"
검증된 강사양성 전문가 WOW

검진, 성형 항목! 어떤 것들이 있을까요?

🔊 **노오력이 배신하는 시대! 올바른 노력을 하기 위해**
강사 전문가에게 검진받고 강의, 강사 성형하세요!

| 강사방향 닥터 | PPT 닥터 | 강사맨탈 닥터 |
| 스킬UP 닥터 | 트레이닝 닥터 | 강사코칭 닥터 |

강사 검진, 성형 절차는 이렇습니다.

🔊 강사가 교육 일정에 맞추는 일반적인 강사교육이 아닙니다.
상담 후 강사 현재 상황에 맞는 교육, 일정 조정 후 진행 "특별 맞춤 교육"

✔ **상담 및 예약**
전화, 문자 상담 = 예약 가능합니다.
상담 및 예약 : 최보규 원장 010-6578-8295
시간 : 09:00 ~ 18:00 (부재 중 문자 남기세요.)

✔ **일시 | 시간**
기본 5시간 ~ 60시간 / 3개월 / 6개월 / 1년
상담 후 교육과정에 따라 조절

✔ **장소 | 비용**
신촌 두드림 스터디룸 신촌역6번 (3분 거리)
온, 오프라인 가능
자신 수준에 맞는 교육 상담 후 결정 / 출장 가능

★★★★★
✔ **특급 혜택**
교육 후 150년 A/S 관리, 피느맥

방탄강사 사관학교

강사병원
검진성형

강사 즐겁게, 쉽게, 함께 합시다!

강사님 현 상황에서
필요한 검진, 성형으로
피 같은 돈
낭비하지 마세요!

상담 후 예약제입니다 ^^

최보규 강사 닥터 1호 010-6578-8295

www.방탄자기계발사관학교.com

강사병원 검진성형

✔ 일시, 시간

▶ 수시 모집 (상담)

▶ 13:00 ~ 18:00 (기본 5시간)
   시간 조정 가능!(10H, 15H, 20H)

✔ 내용

1. 강의 시작 집중기법, SPOT 기법, 아이스브레이킹 기법
   SPOT+메시지기법
2. 스토리텔링 기법
3. 엑티비티 팀빌딩 기법 (팀 워크, 조직활성화)
4. "대한민국 최초" 강사 인성, 매너, 개념, 멘탈 교육
   강사 연차 별 준비, 변화 방법!, 강사료 올리는 방법!
5. 3D.4D 강의 기법. 담당자, 청중, 학습자가 원하는 강의기법.

✔ 자기계발 비용, 인원

▶ 비용 상담

▶ 1:1 코칭(온,오프라인)

✔ 장소, 상담

▶ 장소 상담 후 상황에 따라 변동 사항

▶ 한 번의 상담이 인생 터닝포인트
   150년 A/S, 관리, 피드백
   최보규 원장 010-6578-8295

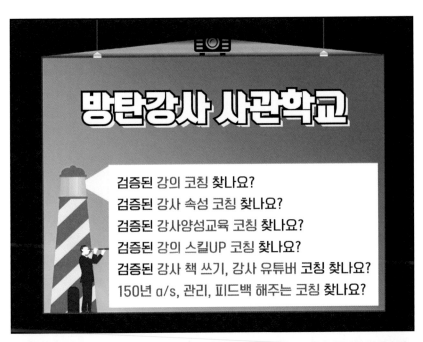

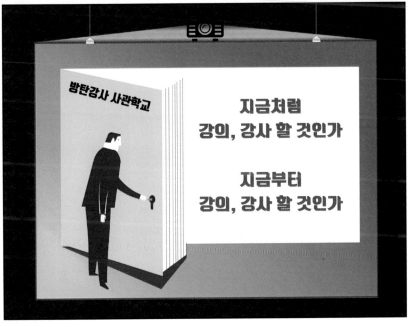

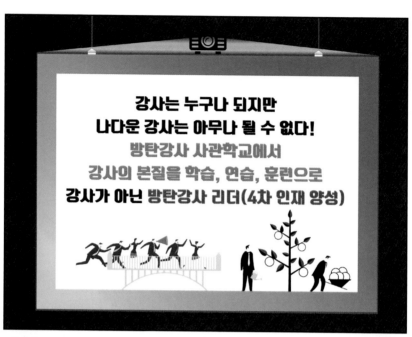

방탄강사 사관학교
시스템 사용설명서

시스템 소개

4차 산업 시대에 맞는 4차 강사로 업데이트!

대한민국 강사 250만 명(학원, 소속) 프리랜서 강사 100만 명 그중 90% 가 생계형 강사입니다. 수많은 강사를 상담(20,000명)하면서 알게 된 대한민국 강사 업계 현실, 강사양성 문제점, 강의 분야 1,000개, 강사분야 10개를 대한민국 최초로 통합시켜 강사 백과사전을 만든 사람으로서 시작하는 강사부터 100년 차 강사까지 년 차별 준비, 학습, 변화를 코칭하는 '세계 최초' 방탄강사 사관학교! 세계 최초로 150년 A/S, 관리, 피드백! 한번 코칭 받고 끝나는 인스턴트 코칭이 아닌 인연이 되어주는 코칭입니다. 우주 최강 책임감으로 함께 합니다!

01 교육.강의.코칭 목적 및 기대효과

🔊 "대한민국 최초" 시스템 강사양성교육을 통해 강사직업에 필요한 모든 것! 강사 인성, 매너까지 강사 리더를 양성하는 교육. 교육에 맞추는 양성교육이 아닌 학습자 상황에 맞춤교육.

강사 상황 검진을 통해 트랜드에 맞는 강의, 강사 성형하는 교육.
늘 그때뿐인 교육, 강의, 코칭이 아닌 150년 a/s, 관리, 피드백으로 꾸준히 변화, 성장하는 기대효과.

02 교육.강의.코칭 항목

🔊 ▶강사 1학년: 목표, 방향 설정반   ▶강사 4학년: 강사 트레이닝반
▶강사 2학년: 강사 자신감반   ▶강사 5학년: 강사 멘탈반
▶강사 3학년: 강사 스킬 UP반   ▶강사 6학년: 강사 사명감반

학년별 시스템 교육을 통한 검증된 강사가 되어 강사료에 맞는 강사!
강사 직업을 오래 지속할 수 있는 강사로 거듭나는 교육.

강사방향 교육

PPT 교육

강사멘탈 교육

스킬UP 교육

트레이닝 교육

강사코칭 교육

03 교육.강의.코칭 내용

전문 상담사의 상담을 통해 자신이 듣고 싶은 과정이 아닌 자신 상황에 맞는 맞춤 교육을 통해 교육 효과를 극대화합니다.

01 강사 학사

강의, 강사의 모든 것.
강사 1,2,3,4,5,6학년 체계적인 시스템을 통한 학습, 연습, 훈련.
※신청조건 : 누구나

3개월 과정 (42H)

02 강사 석사1

강의, 강사 속성교육.
강의, 강사 스킬UP.
강의, 강사 트레이닝.
※신청조건 :
강사 1년 차 이상

1개월 과정 (30H)

03 강사 석사2

강사 1,2,3,4,5,6학년 체계적인 시스템을 통한 속성교육.
※신청조건 :
강사 1년 ~ 5년 차

하루 과정 (8H)

04 강사 박사

강사 퍼스널브랜딩.
(저서 , 유튜브, SNS 코칭)
강사 1:1 상담 코칭.
강사양성과정
상담, 커리큘럼, 운영 코칭.
※신청조건 : 3년 차 이상

2일 과정 (16H)

 04 강사 학사 신청 대상 세부 내용

 강사 학사

- 강사직업을 시작하고 싶은 분.
- 자존감, 자신감, 자기계발, 자기관리, 멘탈, 습관, 긍정을 배워 새로운 인생을 살며 삶의 질을 높이고 싶은 분.
- 민간자격증은 많이 취득했는데 강의 1시간도 못해 기초부터 제대로 강의를 배워서 사명감 있는 강사가 되고 싶으 분.
- 많은 강사양성교육에 지쳐 이제는 돈 낭비 안 하고 싶은 분.
- 강사양성교육 후 꾸준한 관리, 도움, 함께 하고 싶으 분.

05 강사 석사1 신청 대상 세부 내용

강사 석사 1

- ▶ 스팟기법, 아이스브레이킹기법, 집중기법, 강의기법을 자신 강의에 접목하는 스킬을 배우고 싶은 강사.
- ▶ 즐거운 강의, 메시지, 스토리텔링 기법을 배우고 싶은 강사.
- ▶ 강의 내공, 강의력을 키우고 싶은 강사.
- ▶ 자신 강의 스타일을 점검받고 다듬고 싶은 강사.
- ▶ 트렌드에 맞는 강의 스타일, 강사 스타일을 만들어 강사료를 올리고 싶은 강사.

 ## 06 강사 석사2 신청 대상 세부 내용

강사 석사 2

- ▶ 강의, 강사 기본기를 제대로 시작부터 다듬고, 배우고 싶은 강사.
- ▶ 강사 1,2,3,4,5,6 학년 체계적인 시스템을 통해 강의 정석 강사의 정석을 속성으로 배우고 싶은 강사.

- ▶ 강의 트렌드를 속성으로 배우고 싶은 강사.
- ▶ 강사 트렌드를 속성으로 배우고 싶은 강사.
- ▶ 속성으로 강의, 강사의 모든 것을 배우고 싶은 강사.

07 강사 박사 신청 대상 세부 내용

 강사 박사

▶ 자신 분야 책 집필을 통해 강사료를 올리고 싶은 강사.

▶ 강사 방향을 잡아 강사 퍼스널브랜딩을 만들고 싶은 강사.

▶ 강사 영업, 홍보(유튜브,블로그,SNS) 전략을 배워 비수기 5개월을 극복하고 싶은 강사.

▶ 강사1:1 코칭, 상담 기법을 배워 비수기 5개월을 극복하고 싶은 강사.

▶ 자신 분야를 디지털 콘텐츠 제작해서 온라인 건물주가 되어 월세, 연금성 수입으로 경제적 자유 시스템을 만들고 싶은 분

 특 특별 교육.코칭

◀)) 강사 평균 1년 동안 강사양성교육, 자격증 비용 300 ~ 600만 원 ─ 강사 10,000명 조사

◀)) 1:1 특별 맞춤 코칭! 강의, 강사 속성으로 마스터! (상담 후 날짜, 시간 예약제)

특1 이코노미석 코칭	특2 비즈니스석 코칭	특3 퍼스트클래스석 코칭
자기계발 비용 상담 강의 시작, 강의 준비의 모든 것 함께 작업 코칭. 강의 스킬 UP. 강의 트레이닝. 원하는 부분 특별 코칭	자기계발 비용 상담 배우고 싶은 강의. 강의 교안, 강의 트레이닝 트렌드에 맞는 강의 코칭 트렌드에 맞는 강사 코칭 특별 코칭.	자기계발 비용 상담 수요 많은 강의. 강의 교안, 강의 트레이닝 *풀세트 : 교안, 강의 대본 기본서류 코칭. 자신스트일에 맞게 코칭.
1회(5H) ~ 3회(15H)	1회(5H) = 총 : 5회(25H)	1회(5H) = 총 : 7회(35H)

08 강사 학사 교육 커리큘럼

🔊 교육 시간은 변동사항 있을 수 있습니다!

구분	주제	강의내용	시간
강사 학사	강사 1학년 : 목표, 방향 설정반	명강사! 스타 강사! 1억 연봉 프로 강사는 잊어라! 왜? why?	H
	강사 2학년 : 자신감반	강사 개나 소나 시작합니다!	H
	강사 3학년 : 강사 스킬 UP반	변화 없는 강의, 강사 스킬은 강사 암 초기 증상	H
	강사 4학년 : 강사 트레이닝반	세계인구 75억 명 강의, 강사 스타일 75억 개	H
	강사 5학년 : 강사 멘탈반	강사 직업 수명은 강사료(돈)로 결정된다? NO!단언컨대 말씀 드립니다! 멘탈 때문에 결정됩니다! 왜? why?	H
	강사 6학년 : 강사 사명감반	사명감은 만들어지는 것이 아니라 만들어 가는 것!	H

 09 강사 석사1 교육 커리큘럼

🔊 교육 시간은 변동사항 있을 수 있습니다!

구분	주제	강의내용	시간
강사 학사 1	강사 인성, 매너, 영업	강사 인성, 매너 학습 / 강사료 올리는 방법 / 강사 영업 노하우	H
	강사 스킬 UP 1	파워포인트 우주 초보 탈출 / 지금 실력 업그레이드	H
	강사 스킬 UP 2	강의 기법, 스팟 기법, 메시지기법, 스토리텔링기법, 피크앤드기법	H
	강사 스킬 UP 3	교육 담당자, 청중, 학습자가 원하는 강의 스타일 스킬 UP	H
	강사 트레이닝 1	교육 담당자, 청중, 학습자가 원하는 강의 스타일 트레이닝	H
	강사 트레이닝 2	트렌드인 3D 강의! 4D 강의! 강의 스타일 트레이닝	H

10 강사 석사2 교육 커리큘럼

🔊 교육 시간은 변동사항 있을 수 있습니다!

구분	주제	강의내용	시간
강사 학사 2	강사 인성, 매너, 영업 1	강사 인성, 매너 학습 / 강사료 올리는 방법 / 강사 영업 노하우 1	H
	강사 인성, 매너, 영업 2	강사 인성, 매너 학습 / 강사료 올리는 방법 / 강사 영업 노하우 2	H
	파워포인트 스킬 UP	파워포인트 실력 중, 상급으로 업그레이드	H
	강사 스킬 UP 3	강의 기법, 스팟 기법, 메시지기법,스토리텔링기법, 피크앤드기법	H
	강사 스킬 UP 4	교육 담당자, 청중, 학습자가 원하는 강의 스타일 스킬 UP 1	H
	강사 스킬 UP 5	교육 담당자, 청중, 학습자가 원하는 강의 스타일 스킬 UP 2	H
	강사 트레이닝 1	교육 담당자, 청중, 학습자가 원하는 강의 스타일 트레이닝	H
	강사 트레이닝 2	트렌드인 3D 강의! 4D 강의 강의 스타일 트레이닝	H

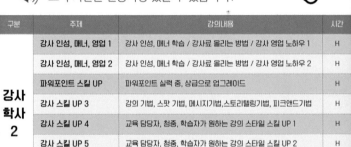

11 강사 박사 교육 커리큘럼

🔊 교육 시간은 변동사항 있을 수 있습니다!

구분	코칭주제	코칭내용	시간
강사 박사	강사 퍼스널브랜딩 1	책 쓰기 7G(초고, 원고, 퇴고, 탈고, 투고, 강의, 강사) 홀인원 1	H
	강사 퍼스널브랜딩 2	책 쓰기 7G(초고, 원고, 퇴고, 탈고, 투고, 강의, 강사) 홀인원 2	H
	강사 퍼스널브랜딩 3	유튜브, 블로그, SNS 활용, 강사 방향 잡기 1	H
	강사 퍼스널브랜딩 4	유튜브, 블로그, SNS 활용, 강사 방향 잡기 2	H
	강사양성과정 상담, 커리큘럼 운영 코칭 1	강사양성 기본 커리큘럼 배우기, 강사양성 과정 상담 코칭 자신 전문분야 강사양성 과정 커리큘럼 틀 배우기 1	H
	자신 분야 디지털 콘텐츠 제작	온라인 건물주가 되기 위한 디지털 콘텐츠 기획, 제작, 홍보 시스템 방향 잡고 만들기	H
	강사 1:1 코칭	강사 비수기 5개월 극복을 위한 강사 상담기법을 통해 강사 스킬UP 코칭법	H

방탄강사 사관학교

강사 양성과정!

강사가 원하는 양성과정 베스트 8

강사 10,000명 데이터

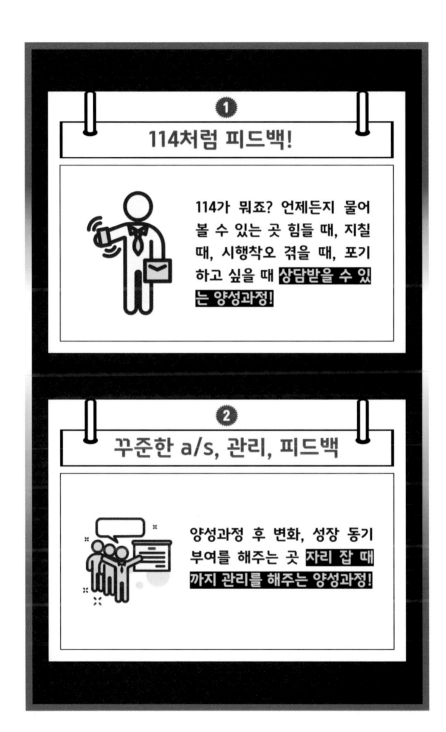

❶ 114처럼 피드백!

114가 뭐죠? 언제든지 물어 볼 수 있는 곳 힘들 때, 지칠 때, 시행착오 겪을 때, 포기 하고 싶을 때 상담받을 수 있 는 양성과정!

❷ 꾸준한 a/s, 관리, 피드백

양성과정 후 변화, 성장 동기 부여를 해주는 곳 자리 잡 때 까지 관리를 해주는 양성과정!

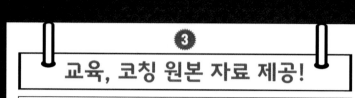

❸ 교육, 코칭 원본 자료 제공!

준다고 말만 하고 안 주는 게 아닌 PDF 파일이 아닌 핵심 자료 빼는 게 아닌 파워포인트 그대로 글씨만 수정해서 바로 강의할 때 쓸 수 있는 ==원본 강의 자료 그대로 주는 양성과정==

❹ 교육, 코칭 영상 시청!

교육을 듣고 강의 자료를 받더라도 그때뿐 기억이 안 납니다! 가장 좋은 방법은 교육 촬영한 영상을 보고 다시 해보는 것이 가장 좋은 방법 ==코칭 영상 다시 볼 수 있는 양성과정!==

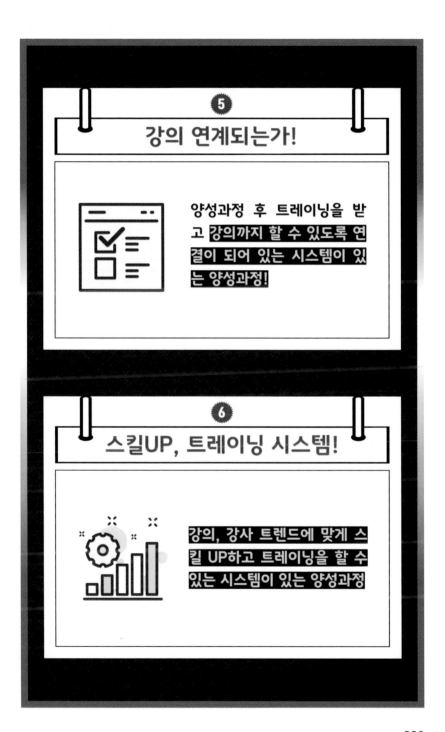

5 강의 연계되는가!

양성과정 후 트레이닝을 받고 강의까지 할 수 있도록 연결이 되어 있는 시스템이 있는 양성과정!

6 스킬UP, 트레이닝 시스템!

강의, 강사 트렌드에 맞게 스킬 UP하고 트레이닝을 할 수 있는 시스템이 있는 양성과정

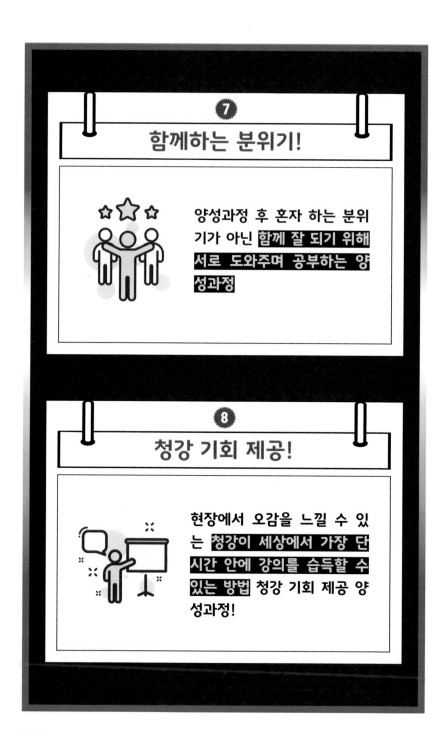

❼

함께하는 분위기!

양성과정 후 혼자 하는 분위기가 아닌 **함께 잘 되기 위해 서로 도와주며 공부하는 양성과정**

❽

청강 기회 제공!

현장에서 오감을 느낄 수 있는 **청강이 세상에서 가장 단시간 안에 강의를 습득할 수 있는 방법** 청강 기회 제공 양성과정!

나	만		이	런		고	민	?		강	사	들	은
어	떤		고	민	이		있	을	까	?			

☑ 베스트3. 돈을 못 벌어 멘자 저하. 강의가 없어 멘자 저하. 나보다 못하는 거 같은데 상대방 잘 나가는 모습 멘자 저하. 이렇게 까지 강사 잇 해야 되나? 전에 하던 거 다시 할까? 멘자를 강하게 키우고 싶어요~

☑ 베스트4. 혼자 너무 외로워요. 공동체에 소속돼서 함께 공부하고 배우고 서로 도와주며 편하게 물어볼 수 있는 강사님들과 함께라면 힘들고 어려워도 이겨낼 수 있을 거 같은데 그런 공동체 없나요?

[멘자 : 멘탈, 자존감]

그 분야 전문가들은 기본을 충실합니다. 강의, 강사의
기본기부터 시작하세요!
기본기는 선택이 아닙니다! 필수입니다!

★ 강사의 정석 1 = 방탄강사사관학교
강의, 강사 기본기를 배우고 목표·방향설정!
강의, 강사 전체적인 흐름 파악! 아하!
강의, 강사가 이런 거구나! 감잡았어!

최보규 방탄강사 전문가

강의, 강사의 필수 스킬? 파워포인트! 하지만
자신 수준에 맞춰 배울 수 있는 곳? 드물 다는 것!

★ 강사의 정석 2 = 파워포인트

우주초보 탈출 파워포인트 마우스만 움직일 줄 알면 끝!
1,000개 기능에서 10개 기능만 알면 끝! 기본은 한다고요?
전문학원가야 배울 수 있는 파워포인트 전문디자인을
기본실력만 있음! 할 수 있는 방법으로 코칭해드립니다!

최보규 방탄강사 전문가

강의를 듣는 담당자, 청중, 학습자수준은 올라가고 있습니다!
하지만 강사 강의 스킬은 그대로인 현실..

★ 강사의 정석 3 = 스킬UP

현실 가성비강사 1+3 즐거움+메시지+감동=
실천, 행동할 수 있는 강의 사용설명서 도구 활용!
1D 강의? 2D 강의? 3D 강의? 4D 강의?
지금은 3D, 4D 강의 트렌드에 맞는 강의 준비!

최보규 방탄강사 전문가

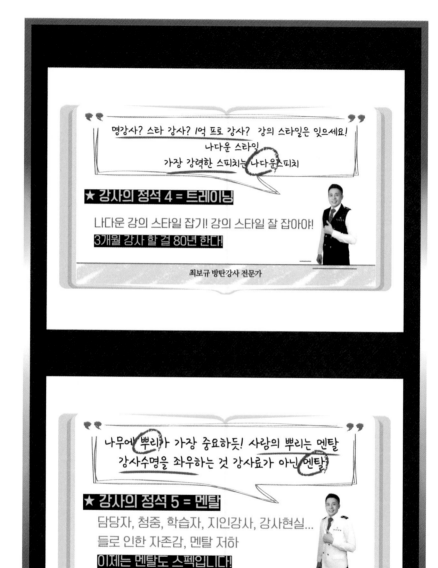

명강사? 스타 강사? 1억 프로 강사? 강의 스타일은 잊으세요!
나다운 스타일
가장 강력한 스피치는 나다운스피치

★ 강사의 정석 4 = 트레이닝

나다운 강의 스타일 잡기! 강의 스타일 잘 잡아야!
3개월 강사 할 걸 80년 한다!

최보규 방탄강사 전문가

나무에 뿌리가 가장 중요하듯! 사랑의 뿌리는 멘탈
강사수명을 좌우하는 것 강사료가 아닌 멘탈!

★ 강사의 정석 5 = 멘탈

담당자, 청중, 학습자, 지인강사, 강사현실...
들로 인한 자존감, 멘탈 저하
이제는 멘탈도 스펙입니다!

최보규 방탄강사 전문가

차별화가 아닌 **초월입니다!**
그 어떤 교육기관도 따라 할 수 없는 교육!

☑ 첫 번째 초월

"대한민국 최초" 강사양성교육 시스템 도입!

전문 상담사와 상담을 통해 강사 상황에 맞는 교육.
강사 연차에 맞는 필요한 교육을 통해 피 같은 교육비 낭비
를 줄이고, 강사 1학년 ~ 6학년, 강사 학사, 강사 석사1, 강사
석사2, 강사 박사 단계별 교육으로 강사가 아닌 **강사 리더**
를 양성하는 교육.

차별화가 아닌 **초월입니다!**
그 어떤 교육기관도 따라 할 수 없는 교육!

☑ 두 번째 초월

"대한민국 최초" 강사양성교육 코칭 영상 회원제!

강사 10,000명 데이터 강사양성교육때 바라는 베스트 1
**교육과정 녹화영상 언제든지 보고 배울 수 있는 강사양성교
육**. 그 마음 알기에 대한민국 강사 그 누구도 못하는 것을 대
한민국 최초로 직접 촬영, 편집, 디자인 해서 회원제로 제공
하는 교육!

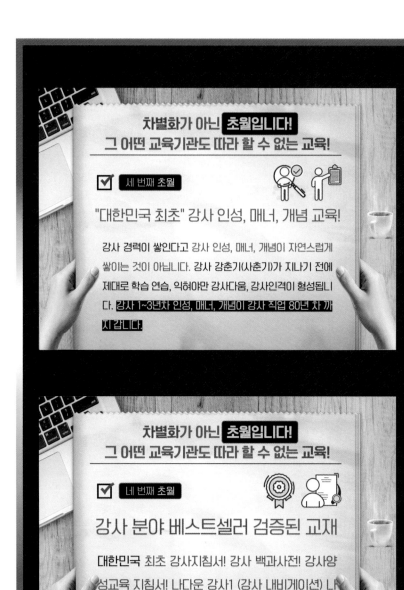

차별화가 아닌 **초월입니다!**
그 어떤 교육기관도 따라 할 수 없는 교육!

☑ 세 번째 초월

"대한민국 최초" 강사 인성, 매너, 개념 교육!

강사 경력이 쌓인다고 강사 인성, 매너, 개념이 자연스럽게
쌓이는 것이 아닙니다. 강사 강춘기(사춘기)가 지나기 전에
제대로 학습 연습, 익혀야만 강사다움, 강사인격이 형성됩니
다. 강사 1~3년차 인성, 매너, 개념이 강사 직업 80년 차 까
지 갑니다.

차별화가 아닌 **초월입니다!**
그 어떤 교육기관도 따라 할 수 없는 교육!

☑ 네 번째 초월

강사 분야 베스트셀러 검증된 교재

대한민국 최초 강사지침서! 강사 백과사전! 강사양
성교육 지침서! 나다운 강사1 (강사 내비게이션) 나
다운 강사2 (강사 사용설명서) 교재로 체계적인 강
사양성교육.

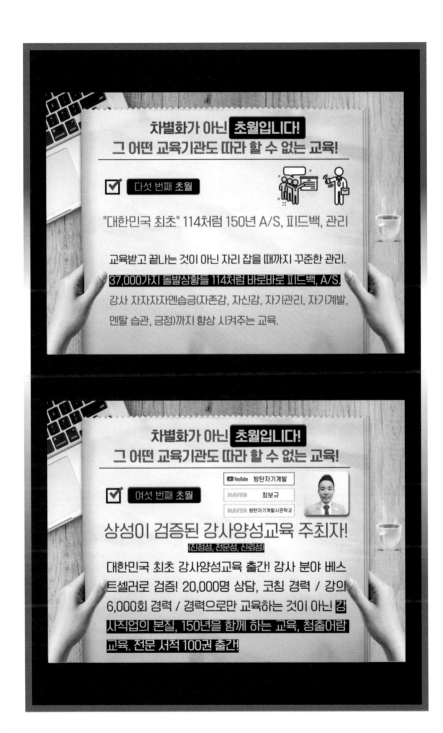

차별화가 아닌 초월입니다!
그 어떤 교육기관도 따라 할 수 없는 교육!

☑ 다섯 번째 초월

"대한민국 최초" 114처럼 150년 A/S, 피드백, 관리

교육받고 끝나는 것이 아닌 자리 잡을 때까지 꾸준한 관리.
37,000가지 돌발상황들 114처럼 바로바로 피드백, A/S.
강사 자자자자멘습금(자존감, 자신감, 자기관리, 자기계발,
멘탈 습관, 긍정)까지 향상 시켜주는 교육.

차별화가 아닌 초월입니다!
그 어떤 교육기관도 따라 할 수 없는 교육!

☑ 여섯 번째 초월

▶YouTube 방탄자기계발
NAVER 최보규
NAVER 방탄자기계발사관학교

상성이 검증된 강사양성교육 주최자!
(진정성, 전문성, 신뢰성)

대한민국 최초 강사양성교육 출간! 강사 분야 베스
트셀러로 검증! 20,000명 상담, 코칭 경력 / 강의
6,000회 경력 / 경력으로만 교육하는 것이 아닌 킹
사직업의 본질, 150년을 함께 하는 교육, 청출어람
교육. 전문 서적 100권 출간!

"같은 강사양성교육 이 아닙니다"

시작하는 강사 ~ 10년 차 강사까지 연차별
시스템으로 교육, 코칭하는 곳은
세계에서 방탄강사 사관학교뿐입니다.

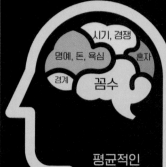

시기, 경쟁
명예, 돈, 욕심   혼자
경계   꼼수

기본기
돈   배움, 나눔
쉽게, 함께   경쟁

평균적인
강사양성과정

방탄강사
사관학교

피드백
1년?

피드백
150년

[강사양성교육 100곳 데이터]

1 차이점

교육, 코칭 받기 전과 후 태도가 다름. 시간이 지나면서 자연스럽게 피드백 받기 힘들어지고 시간 흐름 속에서 개인플레이 환경.

교육, 코칭 후 궁금하고 막히는 부분들 114처럼 언제든지 문자, 전화해서 상담받을 수 있고 150년 a/s, 관리, 피드백 환경.

평균적인
강사양성과정

방탄강사
사관학교

[강사양성교육 100곳 데이터]

2 차이점

화려한 프로필, 스펙에 비해 강의력, 강의 내공, 전문성이 느껴지지 않고 '나도 당신만큼 강의 하겠다.'라는 마음이 들게 하는 강의, 강사 수준이 낮다.

화려한 프로필, 스펙을 뒷받침해줄 수 있는 강의력, 강의 내공, 전문성을 느껴지게 하기 위해 전문 서적 100권 출간, 유튜버 활동, 한 달 책 15권 독서를 통해 강의 학습, 연습, 훈련.

[강사양성교육 100곳 데이터]

3 차이점

강의, 강사 수준에 비해 교육, 코칭비가 고가에 책정돼 있어 교육, 코칭비 값어치를 못해 돈을 낭비하는 상황이 벌어져 다른 교육, 코칭을 받아야 돼서 이중으로 돈이 들어간다.

2,000권 독서. 20,000명 상담, 코칭. 전문 서적 100권 출간, 유튜버 활동, 한 달 15권 독서에서 나오는 강의, 강사 수준은 세계 최고라고 자부하는 가치와 값어치는 하는 교육, 코칭!

평균적인 강사양성과정

방탄강사 사관학교

4 차이점

교육, 코칭 후 스킬UP, 레벨 없을 할 수 있는 시스템이 없어 변화, 성장이 멈추게 되고 시대에 뒤떨어지게 되어 다른 교육기관에서 처음부터 다시 시작해야 되는 악순환.

시작 강사부터 10년 차까지 연차별 업그레이드 시스템과 트렌드에 맞게 변화, 성장 하기 위해 함께 학습, 연습, 훈련할 수 있는 세계 최초 강의, 강사 시스템이 있는 교육, 코칭.

5 차이점

자신 분야, 강의 분야 외에는 다른 분야 강사 현실감이 부족해서 강의, 강사 방향 제시를 제대로 하지 못하고 주최자 강의력이 부족한데도 배움, 변화, 성장하려 하지 않고 했던 것만 한다.

10개가 넘는 강사 분야, 1,000개가 넘는 강의 분야를 대한민국 최초로 통합해서 강사 백과사전을 만들었기에 분야별 장단점을 제대로 파악하여 트렌드에 맞게 교육, 코칭.

평균적인
강사양성과정

[강사양성교육 100곳 데이터]

방탄강사
사관학교

6 차이점

강의, 강사 경력만큼 강의, 강사 인성, 매너, 개념이 있어야 되는데 경력만 있고 강사 인성, 매너, 개념이 없어 초보 강사, 후배 강사에게 갑질 하는 주최자. 강사 직업에 대해 회의감을 느끼게 하는 주최자!

'경력은 스펙이 아니다.' 신념으로 '최보규 강사님은 제가 좋은 강사가 되고 싶도록 만들어요.' 말을 들 을 수 있도록 먼저 솔선수범으로 보여주는 주최자! 320가지 강의, 강사 습관을 통해 행동으로 보여주는 주최자!

나쁜 자녀는 없다! 나쁜 부모만 있다!
나쁜 직원은 없다! 나쁜 리더만 있다!
나쁜 개는 없다! 나쁜 견주만 있다!

나쁜 강사는 없다!
나쁜 강사양성교육 주최자만 있다!
방탄강사 사관학교에서는
강사를 양성하는 교육, 코칭이 아닌
방탄강사 리더를 교육, 코칭합니다.
강사는 누구나 된다! 방탄강사 리더는 아무나 될 수 없다!

최보규 방탄강사 11계명

1. 학습자에게 섬김을 받으려는 강의가 아닌 학습자를 섬길 수 있는 강의를 하겠습니다.
2. 오늘이 마지막 날인 것처럼 강의하고 영원히 살 것처럼 학습자에게 배우겠습니다.
3. 강의 있는 전날에는 최상의 컨디션을 유지하기 위해 건강 관리, 목 관리, 자기관리하겠습니다.
4. 강의장 1시간 전에 도착해서 강의 마음가짐 준비 하겠습니다.
5. 강의장 가장 먼저 도착 강의 끝난 후 가장 늦게 나오겠습니다.
6. 내 삶이 강의고 강의가 내 삶이 되도록 행동 하겠습니다.
7. 힘들게 배운 강의 노하우들 아낌없이 주겠습니다.
8. 어떻게 하면 학습자에게 즐거움? 행복? 메시지? 감동? 희망? 사랑? 을 줄 것인가에 항상 생각하며 공 부하겠습니다.
9. TV보다 책을 더 보겠습니다.
10. 공인이라는 마음으로 솔선수범하겠습니다.
11. 강사의 자존심 아침에 나올 때 신발장에 넣고 나오겠습니다.

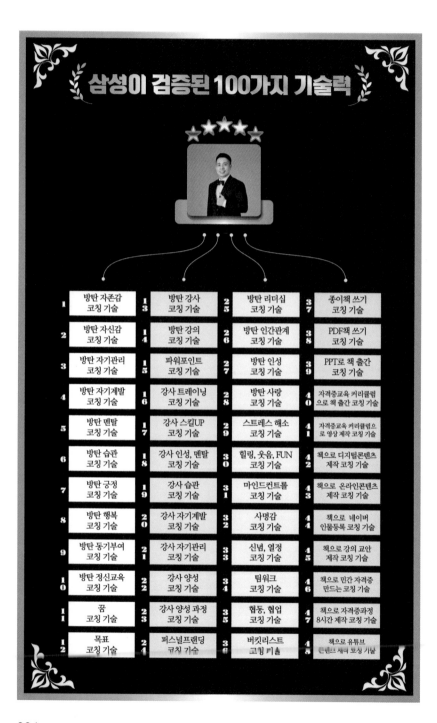

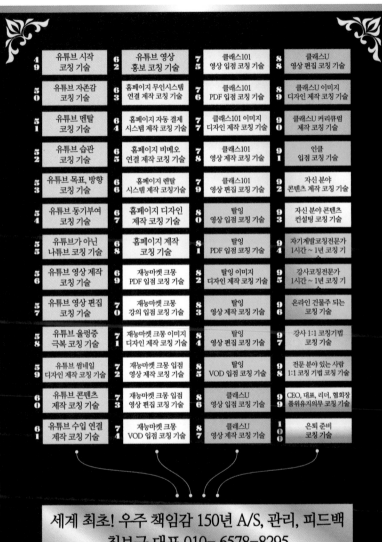

49 유튜브 시작 코칭 기술	**62** 유튜브 영상 홍보 코칭 기술	**75** 클래스101 영상 입점 코칭 기술	**88** 클래스U 영상 편집 코칭 기술				
50 유튜브 자존감 코칭 기술	**63** 홈페이지 무인시스템 연결 제작 코칭 기술	**76** 클래스101 PDF 입점 코칭 기술	**89** 클래스U 이미지 디자인 제작 코칭 기술				
51 유튜브 멘탈 코칭 기술	**64** 홈페이지 자동 결제 시스템 제작 코칭 기술	**77** 클래스101 이미지 디자인 제작 코칭 기술	**90** 클래스U 커리큘럼 제작 코칭 기술				
52 유튜브 습관 코칭 기술	**65** 홈페이지 비메오 연결 제작 코칭 기술	**78** 클래스101 영상 제작 코칭 기술	**91** 언클 입점 코칭 기술				
53 유튜브 목표, 방향 코칭 기술	**66** 홈페이지 렌탈 시스템 제작 코칭기술	**79** 클래스101 영상 편집 코칭 기술	**92** 자신 분야 콘텐츠 제작 코칭 기술				
54 유튜브 동기부여 코칭 기술	**67** 홈페이지 디자인 제작 코칭 기술	**80** 탈잉 영상 입점 코칭 기술	**93** 자신 분야 콘텐츠 컨설팅 코칭 기술				
55 유튜브가 아닌 나튜브 코칭 기술	**68** 홈페이지 제작 코칭 기술	**81** 탈잉 PDF 입점 코칭 기술	**94** 자기계발코칭전문가 1시간 ~ 1년 코칭 기				
56 유튜브 영상 제작 코칭 기술	**69** 재능마켓 크몽 PDF 입점 코칭 기술	**82** 탈잉 이미지 디자인 제작 코칭 기술	**95** 강사코칭전문가 1시간 ~ 1년 코칭 기				
57 유튜브 영상 편집 코칭 기술	**70** 재능마켓 크몽 강의 입점 코칭 기술	**83** 탈잉 영상 제작 코칭 기술	**96** 온라인 건물주 되는 코칭 기술				
58 유튜브 울렁증 극복 코칭 기술	**71** 재능마켓 크몽 이미지 디자인 제작 코칭 기술	**84** 탈잉 영상 편집 코칭 기술	**97** 강사 1:1 코칭기법 코칭 기술				
59 유튜브 썸네일 디자인 제작 코칭 기술	**72** 재능마켓 크몽 입점 영상 제작 코칭 기술	**85** VOD 입점 코칭 기술	**98** 전문 분야 있는 사람 1:1 코칭 기법 코칭 기술				
60 유튜브 콘텐츠 제작 코칭 기술	**73** 재능마켓 크몽 입점 영상 편집 코칭 기술	**86** 클래스U 영상 입점 코칭 기술	**99** CEO, 대표, 리더, 협회장 품위유지의무 코칭 기술				
61 유튜브 수입 연결 제작 코칭 기술	**74** 재능마켓 크몽 VOD 입점 코칭 기술	**87** 클래스U 영상 제작 코칭 기술	**100** 은퇴 준비 코칭 기술				

세계 최초! 우주 책임감 150년 A/S, 관리, 피드백
최보규 대표 010- 6578-8295

한 분야 전문가로는 멈는 시내! 온라인 긴물주!
자신 분야 삼성(진정성, 전문성, 신뢰성)을 높여
제2수입, 제3수입 발생시켜 은퇴 후 30년을 준비하자!

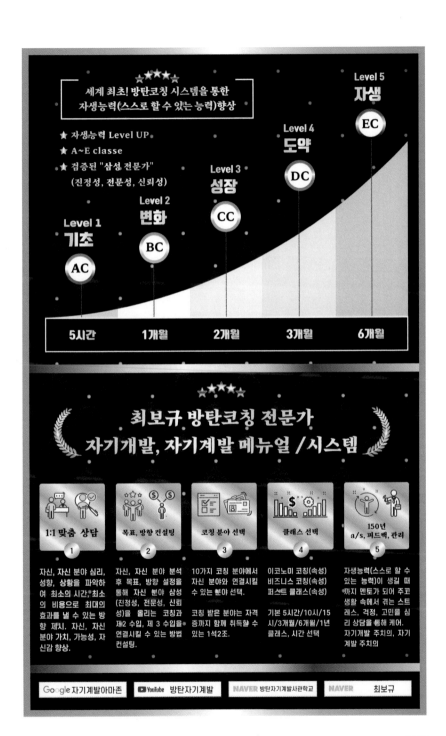

★★★★★ 검증된 전문가 교육시스템

회원제를 통한 맞춤 학습, 연습, 훈련
오프라인 전문상담사가 검진 후 특별맞춤 학습, 연습, 훈련

검증된 강사코칭 전문가

세계 최초 강사 백과사전
강차 사용설명서를 만든 전문가!
150년 A/S, 관리,해주는 책임감!

검증된 책 쓰기 전문가 100권

행복히어로
나다운 강사 1, 2
나다운 방탄멘탈
나다운 방탄습관블록
나다운 방탄 카피 사전
나다운 방탄자존감 명언 I, II
방탄자기계발 사관학교
자기계발코칭전문가 1,2,0,4,5,6
나다운 방탄리더십 1,2,3,4,5
외 100권

검증된 자기계발 전문가

방탄행복 창시자!
방탄멘탈 창시자!
방탄습관 창시자!
방탄자존감 창시자!
방탄자기계발 창시자!
방탄강사 창시자!
방탄리더십 창시자!

검증된 상담 전문가

20,000명 심리 상담, 코칭!
독학하기 힘든 자자자멘습금
(자존감, 자신감, 자기관리, 자기계
발, 멘탈, 습관, 긍정)
1:1 케어까지 해주며 행복 주치의가
되어주는 전문가!

★★★★★ 강력추천

이런 사람들 반드시 상담, 코칭 받으세요!

현재 상황에 가장 필요한 것을 상담 후 가장 효율적인 시스템을 적용합니다.

**변화, 성장, 배움, 행동
동기부여, 셀프케어**

①

지금처럼이 아니라 지금부
터 다시 시작하고 때를 기
다리는 시깜이 아닌 때를
만들고 싶은 분

자신분야 전문성

(진정성, 전문성, 신뢰성)

②

경력은 스펙이 아니다! 자
신 분야 차별화로 부케릭
터를(부업)만들어 자신 몸
값을 올리고 싶은 분

**자신분야 자동
시스템(돈) 연결**

③

움직이지 않아도 자동으로
돌아가는 돈 버는 시스템
을 만들고 싶은 분

Best 12

검증된 리더 강의 분야

<저자 최보규>　　<저자 최보규>

1 방탄 리더 동기부여

2 나다운 방탄리더십

사람을 움직이는 가장 강력한 동기부여는 "우리 리더는 내가 좋은 사람이 되고 싶도록 만들어"라는 마음을 들게 하여 행동하게 만드는 리더다!

1명의 방탄리더가 10만 명을 변화시키고 먹여 살린다. 리더는 사라져도 방탄리더십은 1,000년 간다! 리더의 삼성(진정성, 전문성, 신뢰성)을 업그레이드!

Best 12

검증된 리더 강의 분야

<저자 최보규>

<저자 최보규>

3 방탄 리더 의무교육

4 방탄 리더 기본기

직원은 5대 법정의무교육이 필수! 리더는 7대 의무교육이 필수! 5대 법정의무교육을 받지 않으면 벌금이지만 리더가 7대 의무교육을 받지 않으면 회사가 망한디!

기본기를 지킨다고 리더가 되는 건 아니다. 단언컨대 사람들에게 존경받고 위대한 업적을 만드는 리더들은 기본기를 철저하게 지킨다.

Best 12

검증된 리더 강의 분야

<저자 최보규>　　　　　　　<저자 최보규>

5 방탄 리더 태도

세상에서 가장 강력한 태도 스펙! 어떻게 학습, 연습, 훈련할 것인가?
Body(몸)태도, Head(머리)태도, Mind(마음)태도 320가지 학습, 연습, 훈련하는 방법 최초 공개!

6 방탄 리더 인재 양성

리더의 기본 스펙은 인재 양성이다. 인재는 오는 게 아니라 시스템으로 만들어지는 것이다. 리더가 인재 양성 매뉴얼, 시스템 구축은 선택이 아닌 필수다.

Best 12

검증된 리더 강의 분야

<저자 최보규>

<저자 최보규>

7 방탄 리더 감정컨트롤

사명감은 스펙이다! 학습, 연습, 훈련으로 만들어 진다! 세상에 사명감 없는 사람은 없다! 다만 사명감 만드는 방법을 모를 뿐이다!

8 방탄 리더 스피치

숨만 쉬어도 근손실이 되듯 숨만 쉬어도 리손실(리더십 손실)이 되기에 앞서가는 리더는 리더십 PT 받는다! 식스펙은 한달 지속 되지만 리더십 식스펙은 100년 지속 된다.

Best 12

검증된 리더 강의 분야

<저자 최보규>

<저자 최보규>

9 방탄 리더 감정컨트롤

10 방탄 리더 스피치

세상에서 가장 무능한 리더는 감정에 따라 말투, 표정, 행동이 달라지는 사람이다.
방탄 리더 감정컨트롤, 스트레스 관리 7단계!

입은 출력장치 말이 저장 되어 있는 Body(몸), Head(머리), Mind(마음) 스피치에 답이 있다. Body(몸) 스피치, Head(머리) 스피치, Mind(마음) 스피치 학습, 연습, 훈련!

Best 12

검증된 리더 강의 분야

<저자 최보규>

<저자 최보규>

11 방탄 리더 책쓰기

리더 자신 분야 삼성(진정성, 전문성, 신뢰성)을 올리는 최고의 자기계발은 책쓰기, 책 출간이다! 리더 은퇴 준비, 노후 준비까지 가능한 방탄 리더 책 쓰기!

12 방탄 리더 인간관계

좋은 리더가 되어 좋은 사람을 오게 하는 인간관계 CLASS 7. 100년 함께 하고 싶은 리더가 되기 위한 인간관계 CLASS 7.
삼성(진정성, 전문성, 신뢰성) 인간관계 CLASS 7.

80%는 교육으로 만들어진다? 300% 틀렸습니다!

세계 최초! 방탄동기부여 효율적인 교육 시스템!

교육

= 20%

1단계

스스로
학습, 연습, 훈련

= 30%

2단계

검증된 전문가
a/s,관리,피드백

= 50%

3단계

150년
a/s,관리,피드백

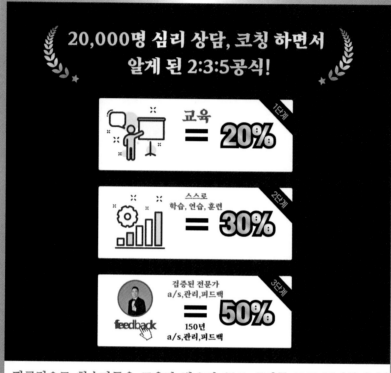

평균적으로 학습자들은 교육만 받으면 80% 효과를 보고 동기부여가 되어 행동으로 나올 것이라고 착각합니다.

그러다 보니 교육받는 동안 생각만큼, 돈을 지불한 만큼 자신 기준의 미치지 못하면 효과를 보지 못할 거라고 지레짐작으로 스스로가 한계를 만들어 버립니다. 그래서 행동으로 옮기지 못하는 것이 상황, 교육자가 아닌 자기 자신이라는 것을 모릅니다.

20,000명 심리 상담, 코칭, 리더 자기계발서 100권 출간, 리더 습관 320가지 만듦, 시행착오, 대가 지불, 인고의 시간을 통해 가장 효율적이며 효과적인 교육 시스템은 2:3:5라는 것을 알게 되었습니다.

교육 듣는 것은 20%밖에 되지 않습니다. 교육을 듣고 스스로가 생활 속에서 배웠던 것을 토대로 30% 학습, 연습, 훈련해야 합니다.
학습, 연습, 훈련한 것을 가장 중요한 50%인 검증된 전문가에게 꾸준히 a/s, 관리, 피드백을 받아야만 2:3:5공식 효과를 볼 수 있습니다.

베스트셀러 일반 강의 분야

<저자 최보규> <저자 최보규>

1 방탄 동기부여

세상에 동기부여 못하는 사람은 없다. 다만 동기부여 잘하는 방법을 모를 뿐이다. 모든 분야에 접목이 가능한 방탄 동기부여! 6가지 수입까지 창출할 수 있는 방탄 동기부여!

2 방탄 자기계발

노오력 자기계발이 아닌 올바른 노력 방탄 자기계발을 통해 제2수입, 제3수입까지 올려 온라인 건물주가 될 수 있는 방법을 학습, 연습, 훈련한다.

Best 12

베스트셀러 일반 강의 분야

<저자 최보규>   <저자 최보규>

3 방탄 멘탈

4 방탄 습관

뭘 해도 욕먹는 시대! 대중매체, SNS, 주위 사람들... 자신 멘탈 배터리를 소모시키는 현실 속에서 자신 멘탈을 보호하기 위한 방탄멘탈 7단계 업데이트!

습관, 성격, 스피치는 바꾸는 것이 아니라 쌓아 가는 것이다. 레고 블록처럼! 몸 습관 블록, 머리 습관 블록, 마음 습관 블록! 습관에 답이 있고 습관에 인생이 있다.

<저자 최보규>

<저자 최보규>

5 방탄 인간관계

인생에서 90%의 스트레스는 인간관계에서 온다. 인간관계 속 스트레스로부터 정신, 몸을 보호하는 방탄 인간관계. 4차 산업 시대에 맞는 4차 인간관계는 방탄 인간관계로 업데이트!

6 방탄 소통

소통에 답이 있는가? 정답은 답이 아니다. 해결책도 답이 아니다. 공감만이 답이다.
방탄 소통, 방탄 공감을 하기 위한 학습, 연습, 훈련!

Best 12

베스트셀러 일반 강의 분야

<저자 최보규>

<저자 최보규>

7 방탄 행복

8 방탄 자존감

대한민국 행복 꼴찌! 대한민국 행복이 위험하다. 자신 행복이 위험하다. 당신이 행복하지 않은 이유는 단언컨대 행복을 학습, 연습, 훈련 하지 않아서다!

사랑, 연예, 인간관계, 성공, 꿈, 이루고 싶은 것, 목표, 사람이 하는 모든 것들의 결과물, 행동하는 모든 것은 행복하기 위해서이고 행복의 본질은 자존감이다.

Best 12

베스트셀러 일반 강의 분야

<저자 최보규>

<저자 최보규>

9 방탄 케어

10 방탄 스토리텔링

아픈 만큼 성숙해진다? 거
짓말에 속지 말자! 아픈 만
큼 성숙해지려면 극복을
해야 한다. 방탄 케어로 마
음 상처 극복 학습, 연습,
훈련!

20,000명 심리 상담, 코칭
하면서 엄선 한1,000개의
스토리텔링(스토리텔링
300가지, 이미지 스토리텔
링 700개)을 통해 자신, 자
신 분야 터닝포인트!

베스트셀러 일반 강의 분야

<저자 최보규>

<저자 최보규>

11 방탄 강사 1, 2

1~3년 차는 강의, 강사를 다듬을 수 있는 도구. 3~5년 차는 강의, 강사 자신의 전문 분야 방향을 잡을 수 있는 GPS가 될 것이다. 5~10년 차는 강의, 강사 일에 초심을 되새기고 사명감을 만들 수 있는 마지막 퍼즐 한 조각이 되어 줄 것이다. 10~130년 차는 강사의 꽃인 강사 양성 교육을 할 수 매뉴얼, 시스템이 되어 줄 것이다.

12 방탄 책쓰기

출판계의 혁신! 출판계의 스티브 잡스! 90% 작가들이 책 쓰기, 출간만 하고 끝난다. 하지만 방탄 BOOK은 자신 분야와 연결하여 6가지 수입을 창출하는 책 쓰기, 출간을 한다.

자신 분야 스펙, 내공, 가치, 값어치

카페에서 냅킨에 그린 그림이 1억?

카페에 피카소가 앉아 있었습니다. 한 손님이 다가와 종이 냅킨 위에 그림을 그려 달라고 부탁했습니다. 피카소는 상냥하게 고개를 끄덕이곤 빠르게 스케치를 끝냈습니다. 냅킨을 건네며 1억 원을 요구했습니다.

손님이 깜짝 놀라며 말했습니다. 어떻게 그런 거액을 요구할 수 있나요? 그림을 그리는 데 1분밖에 걸리지 않았잖아요. 이에 피카소가 답했습니다.

아니요. 40년이 걸렸습니다. 냅킨의 그림에는 피카소가 40여 년 동안 쌓아온 노력, 고통, 열정, 명성이 담겨 있었습니다. 피카소는 자신이 평생을 바쳐서 해온 일의 가치를 스스로 낮게 평가하지 않았습니다.

《확신》

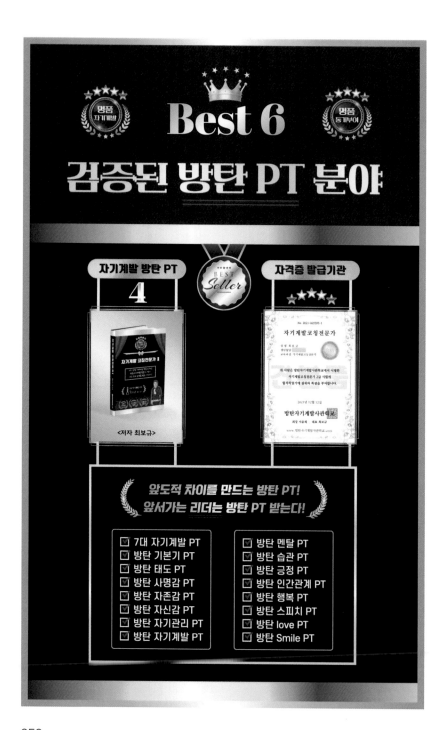

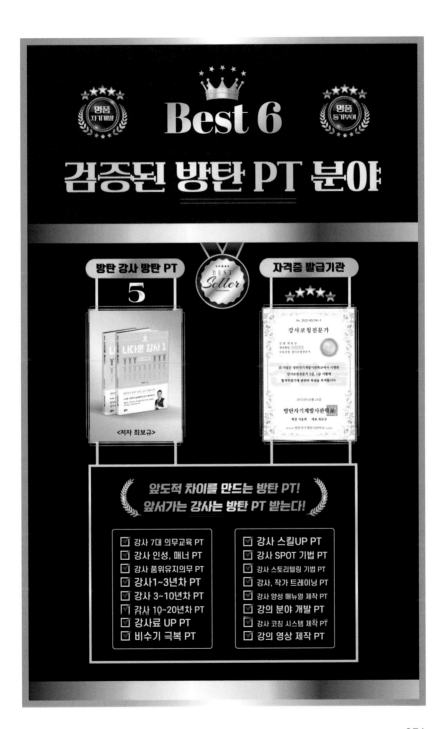

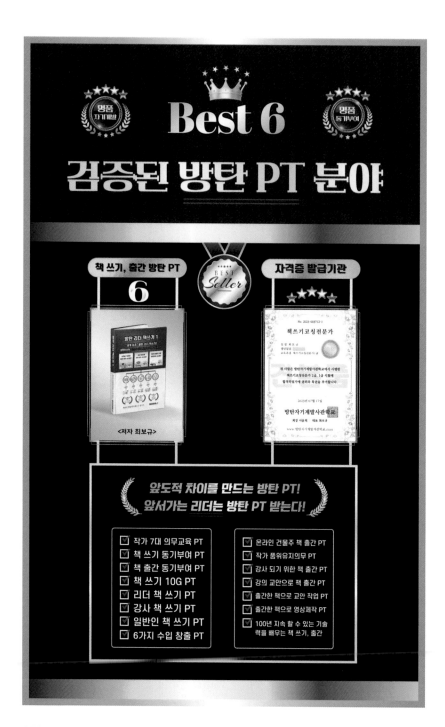

세상에
리더십이 없는 사람은 없다.
다만
리드하는 방법을 모를 뿐이다.

- 최보규 방탄리더십 일타강사 -

특허청 등록
최보규 자기계발코칭 창시자
등록 번호: 제 40-2072344 호

★★★★★ 차별이 아닌 초월 시스템 ★★★★★

타사와 비교불가 초월 혜택!
자신 분야 온라인 건물주가 되어 100년 수입 창출!

Google 자기계발아마존　　▶YouTube 방탄자기계발　　NAVER 방탄동기부여　　NAVER 최보규

이코노미 PT

기본 5H : 500,000원

CHECK POINT

☑ 기본 1회(1일=5H)
☑ 6가지 수입 창출 시스템 매뉴얼 설명
☑ 150년 A/S

★★★★★ 차별이 아닌 초월 혜택 ★★★★★

 Google 자기계발아마존　 ▶YouTube 방탄자기계발　 NAVER 방탄동기부여　 NAVER 최보규

이코노미 PT

기본 5H : 500,000원

- ☑ 150년 A/S (세계 최초)
- ☑ 마스터한 분야 자격증 1종 취득
- ☑ 방탄자기계발사관학교 강사 위촉
- ☑ 방탄자기계발사관학교 마스터 위촉
- ☑ 비지니스 PT 10% 할인
  (10만원 상당)
- ☑ 퍼스트클래스 PT 10% 할인
  (30만원 상당)
- ☑ 마스터한 분야 실전 2시간 강의
  교안 제공, (강사료 200만원 상당)

◎ 특허청 등록 ◎
최보규 자기계발코칭 창시자
등록 번호: 제 40-2072344 호

★★★★★ 차별이 아닌 초월 시스템 ★★★★★

타사와 비교불가 초월 혜택!
자신 분야 온라인 건물주가 되어 100년 수입 창출!

Google 자기계발아마존   ▶YouTube 방탄자기계발   NAVER 강사야   NAVER 최보규

비지니스 PT

기본 5H : 500,000원

CHECK POINT

☑ 기본 1회(2~3일=10H)

☑ 6가지 수입 창출 시스템 실전 훈련

☑ 150년 A/S, 피느백

특허청 등록
최보규 자기계발코칭 창시자
등록 번호: 제 40-2072344 호

★★★★★ 차별이 아닌 초월 혜택 ★★★★★

 Google 자기계발아마존   ▶YouTube 방탄자기계발   NAVER 방탄동기부여   NAVER 최보규

비지니스 PT

기본 10H : 1,000,000원

☑ 150년 A/S, 피드백

☑ 마스터한 분야 자격증 1종 취득

☑ 방탄자기계발사관학교 전임 강사 위촉

☑ 방탄자기계발사관학교 전임 마스터 위촉

☑ 퍼스트클래스 PT 10% 할인
(30만원 상당)

☑ 강사 맞춤 트레이닝 비대면 1회 제공
(50만원 상당)

☑ 마스터한 분야 실전 2시간 강의 교안
제공, 1:1 맞춤 교안 설명
(강사료 200만원 / 1:1 맞춤 100만원 상당)

★★★★★ **차별이 아닌 초월 혜택** ★★★★★

Google 자기계발아마존   ▶YouTube 방탄자기계발   NAVER 방탄동기부여   NAVER 최보규

퍼스트클래스 *PT*

기본 15H : 3,000,000원~

- ☑ 150년 A/S, 피드백, VIP맞춤 관리
- ☑ 자격증 3종 취득 (150만원 상당)
- ☑ 방탄자기계발사관학교 지회장 위촉
- ☑ 종이책, 전자책 출간 후 네이버 인물 등록
- ☑ 20H, 30H, 40H, 50H PT 20% 할인
- ☑ 강사 맞춤 트레이닝 대면 1회 제공
  (50만원 상당)
- ☑ 프로필 유튜브 홍보 영상 제작
  (100만원 상당)
- ☑ 마스터한 분야 풀 패키지 (교안 제공,
  1:1 맞춤 교안 설명, 청강 1회 제공)
  (강사료 200만원 / 1:1 맞춤 100만원 /
  청강 1회 200만원 상당)

359

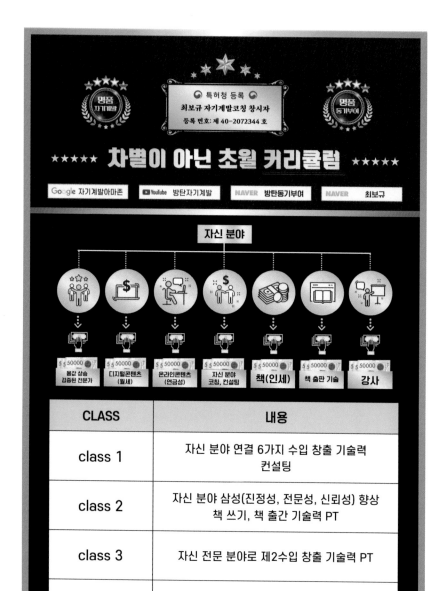

CLASS	내용
class 1	자신 분야 연결 6가지 수입 창출 기술력 컨설팅
class 2	자신 분야 삼성(진정성, 전문성, 신뢰성) 향상 책 쓰기, 책 출간 기술력 PT
class 3	자신 전문 분야로 제2수입 창출 기술력 PT
class 4	자신 전문 분야로 제3수입 창출 기술력 PT
class 5	온라인, 디지털 콘텐츠 기획, 제작 기술력 PT (4,5,6 수입 / 100년 지속적인 수입 창출 PT)

◆ 참고문헌, 출처

〈유튜브 KBS 생로병사의 비밀〉

《리더 습관 PT 5》최보규, 부크크, 2023

〈유튜브 터닝포인트 - 위대한 성공의 시작점〉

《리더 코칭 PT 10》최보규, 부크크, 2023

〈열정에 기름 붓기〉

〈국어사전〉

〈네이버 블로그 네오애플〉

《리더 코칭 PT 10》최보규, 부크크, 2023

《대한민국에서 감정노동자로 살아남는 법》김계순, 박순주, 새로운
제안, 2013

《리더 코칭 PT 11》최보규, 부크크, 2023

《그러니까 상상하라》최윤규, 고즈윈, 2012

〈국토교통부〉

《사람의 마음을 움직이는 힘》〈유튜브 스터디언〉

〈TV조선〉

〈고도원의 아침편지〉

〈담양뉴스〉

〈SBS 드라마 낭만닥터 김사부〉

〈유튜브 사물궁이 잡학지식〉

1조 리더십 강의 2

(지금까지 알고 있는 리더십은 다 잊어라!)

발 행 | 2023년 12월 25일

저 자 | 최보규

편 집 | 서윤희

디자인 | 최보규

마케팅 | 최보규

펴낸이 | 한건희

펴낸곳 | 주식회사 부크크

출판사등록 | 2014.07.15.(제2014-16호)

주 소 | 서울특별시 금천구 가산디지털1로 119 SK트윈타워 A동 305호

전 화 | 1670-8316

이메일 | info@bookk.co.kr

ISBN | 979-11-410-6138-8

www.bookk.co.kr